Eugène Ionesco

Rhinocéros

*Édition présentée,
établie et annotée
par Emmanuel Jacquart*
Professeur à l'Université
des Sciences humaines de Strasbourg

Gallimard

PRÉFACE

> *« Penser contre son temps, c'est de l'héroïsme.*
> *Mais le dire, c'est de la folie*[1]. *»*
>
> Tueur sans gages

Rhinocéros *est un succès, non un coup d'essai. En 1958, lorsqu'il écrit sa pièce, Ionesco a déjà de nombreuses œuvres à son actif : un recueil de poèmes* (Élégies pour êtres minuscules), *un ouvrage de critique* (Non), *un autre avorté sur Victor Hugo* (Hugoliade), *de multiples articles littéraires et culturels, la traduction d'un roman roumain* (Le Père Urcan *de Pavel Dan*), *quelques récits brefs qui seront publiés en 1962 sous le titre* La Photo du colonel[2], *et une douzaine de pièces — dont* La Cantatrice chauve *et* La Leçon. *Ces dernières lui ont valu la célébrité et une réputation d'auteur d'avant-garde, dénomination qu'il revendique d'ailleurs à ses débuts, avant de clamer haut et fort — avec*

1. Formule d'Ionesco énoncée par l'un de ses personnages dans *Tueur sans gages*, acte III, *Théâtre II*, Gallimard, 1967, p. 145.
2. Ce recueil comprend cinq textes dont *Rhinocéros* (publié en 1957 dans les *Lettres nouvelles*), récit écrit à la demande de Geneviève Serreau, épouse du metteur en scène Jean-Marie Serreau.

*un goût prononcé pour la surprise et la provocation
— aspirer au « classicisme ».*

Rhinocéros, *pièce plus étoffée que les précédentes, en
préserve les acquis, à savoir : la recherche systématique
de l'innovation et de l'originalité, une tendance à la
provocation, le refus de la culture grégaire, le goût de
l'expérimentation, le mélange des genres et des tons,
notamment l'interpénétration du comique et du tragique.
Ionesco se fixe cependant un objectif précis à défaut d'être
nouveau pour lui :* la quête de la vérité transhis-
torique, *la «conjugaison de l'histoire et de la non-
histoire, de l'actuel et du non-actuel (c'est-à-dire du
permanent[1]) ». Et d'ajouter : « […] en fin de compte,
je ne crains nullement d'affirmer que le véritable art
d'avant-garde ou révolutionnaire, est celui qui, s'opposant audacieusement à son temps, se révèle comme inac-
tuel[2]. »*

*Pour l'écrivain, le «classicisme» se confond avec per-
manence et universalité. C'est pourquoi, dès 1953, il
pouvait écrire : «Il nous faudrait un théâtre mythique :
celui-là serait universel[3]. »* Rhinocéros *répond tout à
fait à ce souhait. En effet, la pièce met en scène une
thématique générale qui s'accompagne d'une réflexion
théâtralisée sur les caractéristiques permanentes et uni-
verselles de l'homme, à savoir : sa propension à sombrer
dans l'utopie, sa fascination de papillon pour les lumières
des systèmes idéologiques, son esprit grégaire et domi-
nateur, caractéristiques qui, combinées à d'autres et exa-
cerbées en temps de crise, conduisent à la guerre et à*

---

1. *Notes et contre-notes,* Gallimard, «Folio essais», p. 95. Cette cita-
tion date de janvier 1958.
2. *Ibid.,* p. 96.
3. *Ibid.,* p. 296.

l'apocalypse comme le suggère d'ailleurs Rhinocéros.
*Certes, la pièce vise essentiellement le nazisme, mais elle
n'omet ni le stalinisme ni, au-delà, toute forme d'inté-
grisme.*

L'IMPLICITE DU TEXTE

*Ce texte ne se livre pleinement qu'à travers le
« contexte » politique dont il s'inspira. Les jeunes d'aujourd'hui ne peuvent saisir la* portée *de la pièce que s'ils
en connaissent* l'enjeu, *à savoir le processus d'endoctri-
nement et de contamination de l'Europe dans la première moitié du XXᵉ siècle, processus qui aboutit à la
dictature du fascisme et du stalinisme avec leur kyrielle
de désastres : suppression des libertés et non-respect des
droits de l'homme, emprisonnements, tortures, guerres,
exodes massifs, camps de concentration et d'extermina-
tion, dévastation de l'Europe et, pour mettre un comble
à tant de souffrances et d'horreurs, la mort de soixante
millions de personnes. Dans le filigrane et le prolonge-
ment du texte se profilent donc des noms comme Auschwitz, Dachau et le Struthof alsacien, mais également des
institutions comme le* goulag *et la police secrète — bref,
le régime de l'oppression et de la terreur.*

*La pièce abonde en allusions à peine voilées à la phra-
séologie et au comportement nazis, mais fait également
référence, quoique dans une moindre mesure, au stalinisme. La perspective se veut générale, Ionesco condam-
nant* tous *les intégrismes contemporains, occidentaux
ou non. Ses articles publiés après 1960 confirment cette*

opinion s'il en était besoin. À preuve des titres comme
«Le fascisme n'est pas mort», «Le Mirage des révolu-
tions», «Le communisme est le plus grand échec de l'hu-
manité[1] *».*

On ne saisira l'importance et la portée de **Rhinocé-**
ros *qu'à la condition de replacer la rédaction de cette*
pièce dans le contexte politique des années 50, contexte
qui, aux yeux d'Ionesco, paraissait lourd de menaces. Il
craignait d'ailleurs de voir se reproduire ce dont il avait
été témoin dans les années 30 en Roumanie, à ceci près
*que la «*rhinocérite» *(le phénomène de contagion idéo-*
*logique) qui, dans les années 50, gagnait l'*intelligentsia *et le prolétariat français, était marquée par le*
communisme et non par le fascisme.

Ionesco *avait vu son père, ses amis et sa patrie, gagnés*
à une nouvelle idéologie qu'il dut fuir; puis, après la
Seconde Guerre mondiale, une grande partie de l'Europe
était tombée sous le joug de Moscou; dès lors, il crai-
gnait pour la France que la propagande, la lutte idéolo-
gique, la «langue de bois» du parti communiste
soutenu politiquement et financièrement par l'U.R.S.S.
qui promettait monts et merveilles, n'aboutissent en fait
à l'installation d'une dictature. Sous ce jour, Rhinocéros *apparaît donc comme une* mise en garde, *un* cri
d'alarme *contre les mirages qui occultent l'irrémédiable.*
Cette crainte se trouve d'ailleurs renforcée par le fait
qu'Ionesco gardait le contact avec des intellectuels rou-
mains souffrant de l'absence de liberté, et par la lecture
d'auteurs tels qu'André Gide (Retour de l'U.R.S.S.)
ou Arthur Koestler (Le Zéro et l'Infini).

---

1. Respectivement dans *Le Figaro littéraire,* 2 juin 1969; *Il Gior-*
nale, juin 1975; *Le Figaro,* 8 juillet 1976. Ces trois articles sont
reproduits dans *Antidotes,* Gallimard, coll. «Blanche», 1977.

Cela étant, il était pleinement conscient d'aller à contre-courant, l'important étant d'« Oser ne pas penser comme les autres[1] », tout en sachant, comme il le faisait dire avec le sourire à l'un des personnages de Tueur sans gages que « Penser contre son temps, c'est de l'héroïsme, mais le dire, c'est de la folie[2]. » Folie pour certains, courage pour d'autres. Depuis longtemps, Ionesco considère que bien des intellectuels ont été complices des idéologies totalitaires par goût des utopies, par naïveté, par intérêt, par haine de la démocratie bourgeoise, ou tout simplement en raison d'un esprit contestataire chronique qui fait le jeu des extrémistes. On citera à ce propos l'opinion d'un de ses amis, Cioran, revenu des illusions de sa jeunesse, qui affirme dans Histoire et utopie *(1960)* à propos du régime parlementaire qu'il honnissait : « Les systèmes, en revanche, qui voulaient l'éliminer pour s'y substituer me semblaient beaux sans exception, accordés au mouvement de la Vie, ma divinité d'alors. [...] Au sortir de l'adolescence, on est par définition fanatique ; je l'ai été moi aussi, et jusqu'au ridicule[3]. »

À l'ensemble des questions évoquées ci-dessus s'ajoute une autre composante expliquant la position d'Ionesco vis-à-vis de l'intelligentsia, *position voisine de celle de Jean d'Ormesson* : « Les intellectuels en politique, il faut s'en méfier. Ils n'ont guère le sens de la vie des gens. Ils aiment trop l'illusion lyrique. Au fond, la réalité des choses, ils s'en foutent. Voyez Malraux, qui est resté, un bout de temps, compagnon de route de Souvarine, mal-

---

1. Il s'agit du titre d'un article d'Ionesco publié dans *Il Giornale*. Cité sans autre précision par Gilles Plazy, *Eugène Ionesco. Une Biographie,* Julliard, 1994, p. 246.
2. *Tueur sans gages, Théâtre II*, Gallimard, coll. « Blanche », 1958, p. 145.
3. *Histoire et utopie*, Gallimard, « Folio essais », 1960, p. 11-13.

gré *le* Retour de l'U.R.S.S. *de Gide*[1]. » *Et d'ajouter plus loin à propos de Jean-Paul Sartre qui exerça une influence considérable en France et qui fut la bête noire d'Ionesco : «* [...] *la moitié de ses livres sont ratés, la plupart de ses idées politiques sont délirantes — relisez le livre d'Aron sur Sartre et Althusser,* Histoire et dialectique de la violence — *et malgré tout, il a dominé cette période parce qu'il était le plus fort*[2]. »

Quoi qu'il en soit, le succès mondial de Rhinocéros *témoigne de l'écho profond que cette pièce suscita dans le cœur de citoyens qui reconnurent, sous forme stylisée et théâtralisée, l'une des pages capitales de l'histoire de notre siècle. Ionesco n'eut donc pas tort d'avoir raison. Il dénonça le monstre, les monstres, de la civilisation contemporaine, elle qui s'affiche volontiers comme celle dont l'avenir ou l'Histoire confirmera le bien-fondé, excusant ou niant par ce biais les horreurs dont elle se rend coupable.*

Rhinocéros *émane donc d'un Ionesco «engagé » — non pas doctrinaire car il hait toutes les doctrines —, témoin de son temps, luttant avec les moyens qu'offre l'art, contre l'emprise d'un mal polymorphe.*

---

1. *Garçon de quoi écrire*, Gallimard, coll. « Blanche », 1989, p. 178.
2. *Ibid.*, p. 210. De son côté, le philosophe et sociologue Raymond Aron analysa et critiqua le phénomène de l'engouement idéologique dans un ouvrage qui fit grand bruit : *L'Opium des intellectuels* (1957).

HISTORIQUE DE LA PIÈCE :
DU RÉCIT À LA PIÈCE

À la demande de Geneviève Serreau, secrétaire de rédaction aux Lettres nouvelles, *Ionesco rédigea un texte bref intitulé* Rhinocéros, *publié en 1957, puis repris dans* L'Avant-Scène *et inséré dans un recueil* (La Photo du colonel, *1962). Ce récit, qui comprend quatre phases, repose sur l'alternance du mode narratif et de saynètes dialoguées.*

La première phase présente successivement le protagoniste anonyme, une passante éplorée dont le chat a été écrasé par un rhinocéros, et un logicien loufoque.

La seconde est une scène d'intérieur focalisant notre regard sur le personnel d'un bureau (le chef et ses subordonnés : Daisy, Dudard et Botard) puis une certaine Mme Bœuf.

La troisième évoque la visite du narrateur à son ami prénommé Jean. Mais celui-ci, possédé par «une fureur aveugle», fonce sur lui en s'écriant : «Je te piétinerai ! Je te piétinerai[1] !» Le protagoniste s'enfuit donc précipitamment, alors que la rue grouille déjà de rhinocéros.

Mal remis de ses émotions, il reçoit Daisy[2] et apprend que Botard et le Logicien ont succombé à la rhinocérite. S'esquisse alors un bref interlude amoureux vite interrompu par la sonnerie du téléphone puis par une surprise alarmante : la radio ne diffuse plus que des barrissements. Le protagoniste prend alors conscience — et nous

---

1. *La Photo du colonel,* Gallimard, coll. «Blanche», 1962, p. 118.
2. Ce personnage féminin au prénom poétique signifiant «pâquerette» est, dans les dessins animés de Walt Disney, l'amie de Donald Duck.

avec lui — qu'« Ils sont tous devenus fous. Le monde est malade[1] ».

En proie à la peur, mais également à la fascination, Daisy affirme bientôt avoir «un peu honte de [...] l'amour, cette chose morbide» qui «ne peut se comparer avec l'énergie extraordinaire que dégagent ces êtres[2]». La nuit venue, elle s'enfuit et abandonne Bérenger. L'anomalie étant devenue la norme, le normal devient anormal. Aussi le protagoniste se sent-il coupable en raison de sa différence : «Je me sentais un monstre. Hélas, jamais je ne deviendrai un rhinocéros.» Toutefois, il est incapable de renoncer à ses convictions profondes : «Je ne pouvais pas, non, je ne pouvais pas[3].»

À l'évidence, le récit ayant servi d'ébauche, un réseau d'analogies l'unit à la pièce par le biais des thèmes, des noms, de l'atmosphère insolite et de bribes de dialogues repris à la lettre.

Toutefois, les impératifs et les frontières du genre narratif et du genre dramatique engendrent nécessairement des différences. La première concerne les personnages mineurs (ils ont pour fonction de créer une atmosphère) et l'immense dialogue de Bérenger avec Dudard (acte III) qui figure uniquement dans la version dramatique. Mais c'est surtout le monologue final de Bérenger, porteur d'un message, qui s'écarte de l'original. Le protagoniste ne cherche plus, comme dans le récit, à «convaincre» les rhinocéros, il sait l'inutilité de cette démarche. Plus incisif, il saisit sa carabine et, dans un sursaut dérisoire mais courageux, s'exclame : «Je ne capitule pas[4] !»

1. *La Photo du colonel*, p. 124.
2. *Ibid.*, p. 125-126.
3. *Ibid.*, p. 128.
4. *Rhinocéros*, p. 279.

À *signaler enfin que deux composantes essentielles distinguent le spectacle du récit : d'une part, l'accélération du tempo, d'autre part, la dimension comique (qui jaillit de l'absurdité des raisonnements du Logicien, d'élucubrations proposées comme vérités absolues), mais également des contradictions flagrantes entre la morale affichée par Jean et la conduite diamétralement opposée qu'il adopte. Développé essentiellement à l'acte I, le comique a non seulement pour fonction de divertir le spectateur, mais également de le placer dans un état de réceptivité qui, par un violent contraste, rendra angoissante l'évolution vers la catastrophe, d'autant que l'accélération du tempo intensifie l'émotion.*

GENÈSE DE L'ŒUVRE DRAMATIQUE

1. L'expérience vécue

L'inspiration première puise sa source dans l'expérience vécue en Roumanie dans les années 30, expérience évoquée en 1968 dans Présent passé. Passé présent *: «J'ai vu des gens se métamorphoser. J'ai constaté, j'ai suivi le processus de la mutation, je voyais comment des frères, des amis devenaient progressivement des étrangers. J'ai senti comment germait en eux une âme nouvelle, comment une nouvelle personnalité se substituait à leur personnalité[1]. »*

Déjà en 1946, Ionesco écrivait dans La Vie rou-

---

1. *Présent passé. Passé présent,* Gallimard, coll. «Idées», 1976, p. 177.

maine : «*Dans ma rue, des bandes de Gardes de Fer incarnant toute la bestialité et toute l'infinie bêtise de l'humanité... passaient en chantant je ne sais quel "chant" de fer, aux paroles de fiel et de fer. À mesure qu'ils avançaient, la nuit de l'enfer descendait sur les rues de la ville*[1].* »

De façon explicite, il précise dans Notes et contre-notes *: «* [...] *le propos de la pièce a bien été de décrire le processus de nazification d'un pays, ainsi que le désarroi de celui qui, naturellement allergique à la contagion, assiste à la métamorphose mentale de la collectivité* [...] *Le nazisme a été, en grande partie, entre les deux guerres, une invention des intellectuels, idéologues et demi-intellectuels à la page qui l'ont propagé. Ils étaient des rhinocéros. Ils ont plus que la foule une mentalité de foule. Ils ne pensent pas. Ils récitent des slogans "intellectuels"*[2].* » Ionesco perçoit chez eux diverses influences néfastes (dont celle de Nietzsche qui les éblouit par ses formules et paralyse leur jugement), et leur reproche leur aveuglement volontaire et leur mauvaise foi.*

Qu'on ne se méprenne pas. Ionesco ne combat pas le fascisme au nom d'une autre idéologie, mais au nom du « bon sens » et d'une réaction instinctive de tout son être qui refuse la libido dominandi, *la relation maître-esclave, la violence, la folie meurtrière et guerrière. Dans la tourmente il se sent, tel Bérenger, « comme le dernier homme dans cette île monstrueuse [où il] ne représente plus rien, sauf une anomalie, un monstre*[3] *».*

---

1. Cité par Edgar Reichmann, «Eugène Ionesco ou la liberté de dire "non"», *L'Arche*, nº 440, mai 1994.
2. *Notes et contre-notes*, p. 282-283.
3. *Présent passé. Passé présent*, Gallimard, coll. «Idées», 1976, p. 168-169.

2. La lecture de Denis de Rougement

Rhinocéros *doit également son existence à l'expérience vécue par un écrivain qu'Ionesco admirait. En 1936 Denis de Rougemont fut en effet témoin d'un rassemblement nazi à Nuremberg en l'honneur du Führer, expérience évoquée dans* Notes et contre-notes *: « Les gens donnaient des signes d'impatience lorsqu'on vit apparaître, tout au bout d'une avenue et tout petits dans le lointain, le Führer et sa suite. De loin, le narrateur vit la foule qui était prise, progressivement, d'une sorte d'hystérie, acclamant frénétiquement l'homme sinistre. L'hystérie se répandait, avançait avec Hitler, comme une marée. Le narrateur était d'abord étonné par ce délire. Mais lorsque le Führer arriva tout près et que les gens, à ses côtés, furent contaminés par l'hystérie générale, Denis de Rougemont sentit, en lui-même, cette rage qui tentait de l'envahir, ce délire qui "l'électrisait". Il était tout prêt à succomber à cette magie, lorsque quelque chose monta des profondeurs de son être et résista à l'orage collectif. Denis de Rougemont nous raconte qu'il se sentait mal à l'aise, affreusement seul, dans la foule, à la fois résistant et hésitant. Puis, ses cheveux se hérissant, "littéralement", dit-il, sur sa tête, il comprit ce que voulait dire l'Horreur Sacrée. À ce moment-là, ce n'était pas sa pensée qui résistait, ce n'était pas des arguments qui lui venaient à l'esprit, mais c'était tout son être, toute "sa personnalité" qui se rebiffait. Là est peut-être le point de départ de* Rhinocéros[1]. »

Ainsi, le témoignage d'un humaniste respecté renforce

---

1. *Notes et contre-notes*, p. 273-274. Hitler avait fait de Nuremberg le siège du congrès annuel du Parti national-socialiste.

chez Ionesco l'expérience traumatisante qu'il connut en Roumanie, lui confère une généralité accrue et propose deux composantes reprises par le dramaturge : d'une part, l'image du «délire», de «l'hystérie» qui, telle une «marée», se répand «progressivement»; d'autre part, le dénouement, à savoir le sursaut de l'instinct de survie, la révolte de l'individualisme et du bon sens face au fanatisme, révolte débouchant cependant sur un sentiment d'exil : «Je suis seul et ils sont ensemble[1].*»*

3. L'image mythique du rhinocéros

Dans un entretien accordé au Figaro littéraire, *Ionesco précisa la manière dont il fut amené à choisir l'animalité : «J'ai fait, il y a longtemps déjà, l'expérience du fanatisme [...] C'était terrible [...], le fanatisme défigure les gens [...], les déshumanise. J'avais l'impression physique que j'avais affaire à des êtres qui n'étaient plus humains, qu'il n'était plus possible de s'entendre avec eux. [...] J'ai eu l'idée de peindre sous les traits d'un animal ces hommes déchus dans l'animalité, ces bonnes fois abusées, ces mauvaises fois qui abusent*[2].*» Feuilletant ensuite son dictionnaire, il arrêta son choix sur le rhinocéros : «Enfin, je voyais mon rêve se matérialiser, se concrétiser, devenir réalité, masse. Le rhinocéros ! Mon rêve*[3].*»*

Ajoutons que l'auteur tenait à proposer un «mythe» moderne, à valeur universelle, comme le fit Beckett dans

---

1. Tels sont les termes sur lesquels s'achève, chez Denis de Rougemont, le passage intitulé «Une cérémonie sacrée», dans *Journal d'une époque 1926-1946*, Gallimard, 1968, p. 319-320.
2. *Le Figaro littéraire*, 23 janvier 1960, p. 9.
3. *Ibid.*

En attendant Godot *et Flaubert dans* Madame Bovary. *Sur ce point, sa démarche s'apparente à celle d'un poète et critique qu'il admirait : Charles Baudelaire. Conscient que l'œuvre moderne est liée au culte romantique de l'originalité et de la nouveauté — d'une nouveauté sans cesse renouvelée, guettée par l'éphémère et menacée de disparition — Baudelaire proposait, pour en assurer la* permanence *et l'*universalité, *d'inventer une* forme inédite susceptible de devenir un stéréotype *retenu de tous. D'où cette affirmation qui n'a de paradoxal que l'apparence : «Créer un poncif, c'est le génie. Je dois créer un poncif[1].» Se fixant le même objectif, Ionesco propose le «*mythe*» de l'*homme contemporain fanatisé et métamorphosé par l'idéologie, *non pas en mouton de Panurge, ni même en Pangloss ou en Candide, mais en rhinocéros, féroce, brutal, obtus.*

4. L'influence de Kafka

Comme nombre d'auteurs de sa génération, Ionesco fut marqué par Kafka à qui il emprunte l'idée de la transformation de l'homme en monstre. Du récit intitulé La Métamorphose *il retient le* caractère inconcevable et insolite *de la mutation, point de départ d'*un retour de la culture à la nature. *Cette régression tératologique inverse donc le processus de la civilisation, celle-ci étant, selon Freud, le résultat d'une suite de progrès de l'humanité grâce à la maîtrise des instincts destructeurs et la mise à profit de la rationalité.*

1. *Fusées*, éd. André Guyaux, «Folio classique», 1986, p. 79.

Sur l'emprunt majeur d'Ionesco à Kafka — le caractère irrationnel de la métamorphose — se greffent
divers éléments : Grégoire Samsa, héros de Kafka, a la
démarche et la voix altérées, « le dos dur comme une cui-
rasse », le ventre brun ; par ailleurs, il se cloître dans sa
chambre, coupé du monde, abandonné de tous, y compris de sa sœur à laquelle il est très attaché, désespérant
de « trouver aucun moyen de restaurer la paix et l'ordre
dans cette société despotique[1] » dont il est exilé.

La plupart de ces détails sont repris et modulés par
Ionesco : Jean a la voix rauque (acte II, tableau II), sa
peau « verdit », puis « durcit ». La femme aimée, Daisy,
abandonne, elle aussi, le protagoniste. Et, tel Grégoire
Samsa, Bérenger prend conscience de sa déréliction et de
l'absence de communication entre les êtres.

Mais, fidèle à son habitude, Ionesco prend aussi le
contre-pied de l'auteur dont il s'inspire. Ainsi, ce n'est
pas le protagoniste qui subit une métamorphose, mais
ses comparses. Grégoire voulait communiquer avec
les autres, alors que Bérenger, lui, lutte pour préserver
son intégrité et son humanité en s'opposant aux
autres. Grégoire percevait sa déshumanisation, mais ce
sentiment n'effleure jamais les « rhinocéros » ; il inspi-
rait de la répulsion à son entourage mais, à l'inverse, la
« rhinocérite » séduit, à tel point que Daisy, émue et
admirative, s'exclame : « Ils sont beaux […] Ce sont des
dieux[2]. »

Ajoutons que l'œuvre d'Ionesco, œuvre polytonale, se
distingue par ses éléments dramaturgiques sur lesquels
se greffent la fantaisie, la caricature, la satire et l'enga-

1. *La Métamorphose et autres récits*, « Folio classique », p. 83.
2. P. 275.

gement contre l'idéologie devenue idolâtrie, *alors que le récit de Kafka baigne dans une atmosphère d'angoisse, de souffrance et de culpabilité.*

5. L'influence de Gustave Le Bon (1841-1931)

Dans Présent passé. Passé présent, *Ionesco fait une allusion discrète à ce médecin-sociologue, autrefois célèbre, vulgarisateur de notions de psychologie collective : «Pourquoi», écrivait-il au terme d'un développement sur les «psychoses meurtrières collectives», «ne relit-on pas Gustave Le Bon, l'auteur de ces psychologies des foules, si injustement oublié[1].»*

Ce savant aux idées tranchées, susceptibles de choquer aujourd'hui, identifie notre époque à «l'ère des foules» dont il voit le modèle dans les révolutions. «[L']individu en foule acquiert, par le seul fait du nombre, un sentiment de puissance invincible lui permettant de céder à ses instincts, que, seul, il eût forcément réfrénés.» «Isolé, c'était peut-être un individu cultivé, en foule c'est un instinctif, par conséquent un barbare. Il a la spontanéité, la violence, la férocité et aussi les enthousiasmes et les héroïsmes des êtres primitifs[2].»

Conduite presque exclusivement par l'inconscient, la foule «n'admet pas d'obstacle entre son désir et la réalisation de ce désir [...]. L'obstacle inattendu sera brisé avec frénésie. Si l'organisme humain permettait la perpétuité de la fureur, on pourrait dire que l'état de la foule contrariée est la fureur[3].»

1. *Présent passé. Passé présent*, p. 176.
2. *Psychologie des foules*, P.U.F. / Quadrige, 1988, p. 4.
3. *Ibid.*, p. 18.

*La foule se caractérise également par la « suggestibi-
lité », la « crédulité », l'autoritarisme, la brutalité, le fanatisme : « Les convictions des foules revêtent des caractères
de soumission aveugle, d'intolérance farouche, de besoin
de propagande violente, inhérents au sentiment reli-
gieux ; on peut dire que toutes les croyances ont une
forme religieuse. Le héros que la foule acclame est vérita-
blement un dieu pour elle [...]. Les croyances politiques,
divines et sociales ne s'établissent chez elles qu'à la
condition de revêtir toujours la forme religieuse qui les
met à l'abri de la discussion*[1]. »

*Dangereuse, la foule l'est d'autant plus qu'elle cède
aisément aux slogans, formules simplistes, érigées en
dogmes. Réitérée, l'affirmation finit par engendrer un
courant d'opinion : « [...] le puissant mécanisme de la*
contagion *intervient. Dans les foules, les idées, les sentiments, les émotions, les croyances possèdent un pouvoir
contagieux aussi intense que celui des microbes*[2]. »
*« Cette contamination » s'explique par un phénomène
« d'ordre hypnotique*[3] » *qui s'exerce d'abord sur les
couches populaires puis « passe ensuite aux couches
supérieures de la société*[4]. »

*Dernière idée à retenir : « La foule est un troupeau
qui ne saurait se passer de maîtres*[5]. »

*Ainsi, sciemment, Ionesco met à profit diverses notions
exposées par Le Bon (que nous n'avons pu que résumer
sommairement), notamment la* contagion mentale
(« rhinocérite ») qui évolue des milieux populaires aux

1. *Ibid.*, p. 41.
2. *Ibid.*, p. 74.
3 *Ibid.*, p. 13.
4 *Ibid.*, p. 75.
5 *Ibid.*, p. 69.

*milieux intellectuels (M. Bœuf, puis Botard, puis Dudard), l'*automatisation, *le* retour aux instincts, *à* l'animalité, *à* l'instinct grégaire, *la* soumission de l'homme à ses chimères, *donc* à ses désirs[1], *le* pouvoir enivrant des mots et des systèmes.

THÈMES ET PERSONNAGES

Ne craignons pas de le rappeler, le théâtre n'est pas littérature, n'est pas que littérature. Une pièce se compose d'un ensemble destiné à la représentation, faisant intervenir le ludique, et la langue parlée, *mais également le* langage des signes *(bruitages, éclairages, rythmique et gestuelle). Cela étant, l'un des objectifs que se fixe l'auteur peut être de transmettre un « message », en d'autres termes une information à valeur morale, sociale et/ou politique, comme le firent Shakespeare et Corneille dans leurs pièces historiques et, plus récemment, Sartre, Brecht et Heiner Muller.*

Rhinocéros *présente donc une thématique n'ayant rien de gratuit. Face à ce qu'il ressent comme une menace, Ionesco s'engage et défend des valeurs auxquelles il croit : l'amitié, la liberté, les droits de l'homme, la démocratie. Sa démarche l'amène naturellement à s'attaquer aux valeurs des totalitarismes fondées sur une glorification du chef, de l'État, de l'autorité, de la force et du futur aux dépens du présent.*

Le thème sur lequel s'ouvre la pièce est l'amitié, ami-

---

1. « L'homme esclave absolu de son rêve », *ibid.*, p. 70.

tié cocasse et caricaturale, à peine crédible, non seulement parce que Jean et Bérenger sont dissemblables, voire
opposés, mais parce qu'ils ne sont liés par aucune valeur
commune. L'amitié est normalement conforme au principe de plaisir, *chacun des partenaires trouvant un
certain bien-être dans la relation, ce qui n'est point le
cas pour Bérenger : il ne reçoit rien, si ce n'est des remon-
trances. Raide, hautain, suffisant, condescendant, voire
méprisant, tatillon, complaisant avec lui-même*[1]*, Jean
appartient aussi à la catégorie de gens que Voltaire appelait* « raisonneurs ». *Son discours abonde en maximes,
sentences et notions abstraites :* « L'homme supérieur est
celui qui remplit son devoir », « Il faut être dans le coup »,
« La vie est une lutte »*[2]*. Tout cela reflète son esprit* dog-
matique *et* moralisateur, *insatisfait des autres, mais
très satisfait de soi. Il se considère au-dessus du commun
des mortels. Hédoniste et de mauvaise foi, il adopte une
conduite incompatible avec celle qu'il préconise.*

*Très vite, il apparaît comme l'incarnation de la pen-
sée totalitaire qui écrase toute opposition et impose le
culte de la* volonté, *de l'*énergie *et de la* supériorité.
*Quoi qu'il soit d'abord scandalisé par l'apparition d'un
rhinocéros (comprenons : l'apparition du totalitarisme),
il se transforme physiquement, intellectuellement et moralement en rhinocéros puisque sa voix devient rauque,
son souffle bruyant et sa peau verdâtre et qu'une corne
lui pousse sur le front. La psychologie de ce monstre à
mi-chemin entre l'homme et l'animal s'inspire de pensées
nietzschéennes que la propagande nazie déforma et*

---

1. Il est prompt à se trouver des excuses : « Moi, c'est pas
pareil », p. 37. « Car vous [Bérenger]... vous... ce n'est pas la
même chose... », p. 84.
2. Respectivement p. 43, p. 78 et p. 74

exploita. Comme s'il appliquait à la lettre les préceptes du Crépuscule des idoles. Comment philosopher avec un marteau, *Jean veut démolir «des siècles de civilisation», abandonner «la morale [car elle est] anti-naturelle». Brute fanatique, il préconise le retour à la nature, «à l'intégrité primordiale[1]». Le vernis du moi rationnel a éclaté sous la pression du moi passionnel ou, plutôt, le* moi rationnel s'est mis au service du moi passionnel qui déforme la réalité. *Comme l'affirmait Spinoza : «L'homme ne désire pas une chose parce qu'elle est vraie, mais inversement, il la croit vraie parce qu'il la désire.» Survolté, prenant des vessies pour des lanternes, Jean ne supporte plus aucun obstacle à ses désirs. D'où cette menace cinglante adressée à Bérenger : «Je te piétinerai, je te piétinerai[2].» L'idéal qu'il prônait — celui de l'intellectuel libéral de la première moitié du XXe siècle — n'a plus cours : désormais, «L'humanisme est périmé[3]» et l'humanité livrée à l'apocalypse.*

Face à Jean, le personnage-pivot ressemble étrangement à son créateur dont il partage le mal-être, le goût de l'alcool-euphorie, l'individualisme et la nostalgie d'une amitié véritable, voire d'un amour indéfectible. Velléitaire, n'aimant guère son emploi et n'ayant ni le courage ni la discipline nécessaire pour se cultiver systématiquement, il est, comme Ionesco, en proie à ses regrets, ses remords, ses «peurs» et ses «idées noires», allant jusqu'à affirmer : «Moi j'ai à peine la force de vivre. Je n'en ai plus envie peut-être. [...] La solitude me pèse.

1. P. 189-190.
2. P. 194.
3. P. 191.

La société aussi[1]. » *Cependant, petit à petit, face aux événements, il évolue en prenant conscience des modalités diverses selon lesquelles les membres de son entourage sont touchés par la «rhinocérite». Ensuite, abandonné de tous, il connaît un instant la tentation de rejoindre le troupeau. Mais, incapable de le faire, il éprouve — en raison de sa* différence *et de son inaptitude à adhérer à un phénomène de masse — une certaine «honte». Il reconnaît aussi avoir «mauvaise conscience[2]» et se sent hors norme, donc* anormal *: «Hélas, je suis un monstre, je suis un monstre. [...] Je ne peux plus changer. Je voudrais bien, je voudrais tellement, mais je ne peux pas. Je ne peux plus me voir[3].» Mais, dans une brusque volte-face, spectaculaire à souhait comme l'exige un dénouement théâtral, et conscient du danger* mortel *que représente son* aliénation *face à la prolifération des rhinocéros, il se ressaisit pour défendre son intégrité, s'empare de sa carabine et s'exclame : «Contre tout le monde, je me défendrai ! Je suis le dernier homme, je le resterai jusqu'au bout ! Je ne capitule pas![4]»*

En 1974, Ionesco déclara à propos de son personnage que celui-ci exprime «la conscience morale universelle» et qu'il est présenté de façon à «montrer que tout le monde peut être victime[5]».

Si Bérenger apparaît par certains aspects comme un alter ego *d'Ionesco, il n'en est pas le calque. Le dramaturge prend soin de construire un personnage qui ait une efficacité dramatique, qui puisse donc toucher le public et*

1. P. 69-70.
2. P. 279.
3. *Ibid.*
4. *Ibid.*
5. «Nous sommes tous juifs. Entretien d'Ionesco avec Claude Sitbon», *L'Arche*, n° 440, mai 1994, p. 20.

*l'inciter à réagir. À un critique qui l'interviewait, il pré-
cisa d'ailleurs sa technique : l'auteur «doit se tourner
contre lui-même, ce qui doit être une règle absolue de qui
veut être comique. Il ne faut pas céder à l'engourdisse-
ment de la sentimentalité. Il faut une certaine cruauté,
un certain sarcasme vis-à-vis de soi-même. Ce qui est le
plus difficile, c'est de ne pas s'attendrir sur soi ni sur ses
personnages — tout en les aimant. Il faut les voir avec
une lucidité, non pas méchante, mais ironique [...]. [Le
personnage] doit être aussi comique qu'émouvant, aussi
douloureux que ridicule[1] ». Antihéros ayant gardé une
âme d'enfant, Bérenger est une sorte de Candide contemporain, à ceci près qu'il est moins docile et plus lucide
que celui-ci.*

Le Logicien : *La métamorphose, thème central de
l'ouvrage, a pour première incarnation le Logicien,
figure comique et grotesque, alors qu'à l'acte II, Jean
(son pendant dans le registre sérieux) nous acheminera
vers la catastrophe. Comme son nom l'indique, le Logicien est un fantoche unidimensionnel. Il s'adonne à un
type de raisonnement fallacieux, le* paralogisme, *qui
s'appuie sur la déduction erronée. Prestidigitateur incarnant la raison qui déraisonne, il métamorphose le
«réel» en le pliant à ses désirs délirants.*

*Les différentes étapes de son discours sont émaillées
de syllogismes cocasses déformés par des généralisations
hâtives et le mépris du principe de non-contradiction :*

A — «Le chat a quatre pattes. Isidore et Fricot ont
chacun quatre pattes. Donc Isidore et Fricot sont chats. »

B — Le chien du Vieux Monsieur a quatre pattes
— «Alors, c'est un chat. »

1. *Notes et contre-notes*, p. 178.

C — «*Logiquement, [son] chien serait un chat […]
mais le contraire est aussi vrai*[1].»

D — *Plus loin, il reprendra le procédé étudié en A :*
«*Tous les chats sont mortels. Socrate est mortel. Donc
Socrate est un chat*[2].»

*De même, il ergote sur la variété d'animal aperçu par
ses comparses : un rhinocéros unicorne ou bicorne? Africain ou asiatique? Y a-t-il eu par ailleurs passage de
deux rhinocéros ou deux passages d'un même rhinocéros,
ou encore alternance? Autres possibilités : l'un a perdu
une de ses cornes ou deux rhinocéros ont chacun perdu
une corne, etc. Il s'agit ici, sous forme caricaturale, d'une
imitation des* arguties dialectiques des idéologues.
*Loin des réalités concrètes, le Logicien perçoit l'existence
au travers d'un filtre, celui de la logique, logique* abusive
*cela va sans dire. Il y a donc, d'entrée de jeu, un phéno-
mène du même ordre que la «rhinocérite» qui, par le
biais d'une grille, déforme le «réel» pour le plier à la
volonté de puissance de l'individu ou du groupe. Ce que
dénonce Ionesco, c'est* l'esprit de système *des idéologues
et fanatiques de tout poil. Dans cette optique, tous les
«rhinocéros» partagent la même démarche aberrante :
Botard — sorte* d'apparatchik — *se pique d'avoir «un
système d'interprétation infaillible*[3]»; *quant à Dudard,
il affirme au terme de son évolution que «tout est
logique» et rétorque à Bérenger pour qui la «pratique [a]
toujours le dernier mot» : «Elle l'a peut-être, mais lorsqu'elle procède de la théorie*[4]!»

Botard : *À l'évidence, ce patronyme est péjoratif en*

1. Respectivement p. 69 et p. 70.
2. P. 71.
3. P. 158.
4. Respectivement p. 226 et p. 228.

raison du suffixe -ard *et des résonances du mot* « *bottes* »
*évoquant des cortèges de défilés militaires… Incarnation
du marxiste de milieu modeste (ancien instituteur),
Botard déforme la réalité en l'accommodant à ses
croyances ou, à l'instar du Logicien, il élude et refuse les
évidences (en l'occurrence,* « *l'évidence rhinocérique*[1] »*).
Ainsi, lors de l'irruption, attestée de tous, d'un rhinocéros il affirme :* « *Je ne vois rien du tout. C'est une illusion*[2]. » *Il se complaît dans la* mauvaise foi. *Pour avoir
raison, pour se conformer à un système idéologique*
hyperrationaliste, *pour éviter le déplaisir d'être pris en
défaut, il dément, ment et se ment. Sur cette duplicité se
greffent des caractéristiques qui transparaissent dans ses
déclarations inspirées de l'idéologie marxiste, mais auxquelles Ionesco a donné un tour volontairement brutal
ou caricatural.*

Incarnant à la fois la négation *(de l'autre) et* l'affirmation *(de soi), Botard dénonce les* superstitions :
« *Je méprise les religions* […] » *et les universitaires, ces*
« *esprits abstraits qui ne connaissent rien à la vie*[3] ».
*Anticlérical (ce fut fréquemment le cas des instituteurs
de la troisième et de la quatrième République), anti-
intellectuel (comme tous les régimes totalitaires) et hyperrationaliste, il affiche une* image de soi *qui le flatte et
le rassure : il se croit* « *réaliste* », *politiquement averti
(* « *c'est une mystification* ») *et capable de dénoncer la*
« *propagande qui fait courir ces bruits*[4] ». *À l'évidence,
l'ironie d'Ionesco perce à travers cette accusation car le
léninisme et le stalinisme ont largement exploité la* pro-

1. P. 155.
2. P. 141.
3. Respectivement p. 124 et p. 128.
4. P. 136.

pagande (comme d'ailleurs le fascisme des années 30 et 40, l'Italie de Mussolini étant dotée d'un ministère de la Propagande).

Borné, obsessionnel, il fait figure de stalinien pour qui tout est politique, se flattant de « connaître le pourquoi des choses, les dessous de l'histoire… », de posséder « la clé des événements, un système d'interprétation infaillible[1] ». Paranoïaque et irritable, il décèle partout complots, propagande et manipulations (on comparera avec les pratiques nazies et staliniennes) : « Je connais […] les noms des traîtres. Je ne suis pas dupe. Je vous ferai connaître le but et la signification de cette provocation ! Je démasquerai les instigateurs[2]. »

Ainsi, le système pseudo-logique du Logicien fait ici place à un système idéo-logique plus insidieux et plus dangereux qui envisage le monde sous un angle négatif, monde hostile, menaçant, totalement régi par l'intérêt, la volonté de puissance, la superstition et la dissimulation. Botard représente donc la perversion de la raison, la raison qui déraisonne.

Dudard : moins caricatural que Jean et Botard, Dudard tend cependant à être unidimensionnel. « Intellectuel subtil, érudit », en apparence neutre, volontiers sceptique, il préconise l'humour pour « prendre les choses à la légère, avec détachement », car « peut-on savoir où est le mal, où est le bien ? » Il faut donc « toujours essayer de comprendre[3] ». Mais il franchit un seuil dangereux en période d'hystérie collective lorsqu'il soutient que « comprendre, c'est justifier ». Se payant de mots, il vit dans un état psychologique appelé « mauvaise foi ».

---

1. Respectivement p. 156 et p. 158.
2. P. 157.
3. Respectivement p. 231, p. 214, p. 218 et p. 225.

À *l'aise dans son élément* — *les idées* —, *il aime les examiner, les manipuler, en percevoir la valeur relative avec une réserve empreinte de scepticisme et de «sagesse» quelque peu livresque et scolaire.* Homme de discours, *il prend plaisir à finasser, à ergoter, attitude lui conférant le sentiment de prendre de la hauteur, de dominer les choses par l'intellect qui fait appel à la philosophie et à la psychanalyse. Mais son interlocuteur, Bérenger, reprenant inconsciemment les paroles d'Hamlet («des mots! des mots*[1] *!»), dénonce sa légèreté et son inconscience. Observant une réserve de bon aloi* — *qui juge la conduite de Botard «trop passionnelle, donc simpliste*[2] *»* —, *ce beau parleur ferme les yeux sur l'importance gravissime de l'enjeu, alors que son pays et sa culture sont au bord du gouffre. L'heure n'est plus aux débats et aux dissertations philosophiques, mais à l'action. Les civilisations sont hélas mortelles.*

Cet anti-Candide qui craint de pécher par naïveté se réserve «le droit d'évoluer[3] *». Dès que les rhinocéros dont il admire l'efficacité deviennent majoritaires, il s'empresse d'abandonner ses principes et de rejoindre leurs rangs. Comme Botard et Jean, il fait, lui aussi, preuve de «mauvaise foi». Cet homme de paroles qui ne tient pas la sienne change de camp pour celui des plus forts, des plus nombreux, des plus efficaces, des plus dangereux. Certes, Dudard est une fiction* — *sorte de prototype de l'Intellectuel qui dans l'entre-deux-guerres se voulait libre* —, *mais il est également, dans une moindre mesure, un personnage composite. Comme le père d'Ionesco, dont son fils brossa le portrait politique dans* Présent passé.

1. P. 227.
2. P. 224.
3. P. 237.

Passé présent, *c'est par «devoir» envers ses «chefs»*
qu'il rejoint l'idéologie dominante. En réalité, il cède à
la fascination qu'exerce l'autorité, à l'appel charisma-
tique du nombre, au désir de vivre dans le sens de l'his-
toire.

Quant aux personnages de troisième plan — la Ména-
gère, l'Épicier et l'Épicière, le Patron du café, la Serveuse
et le Vieux Monsieur —, ils ont une double fonction :
commenter l'action et créer une atmosphère qui confère
vie, pittoresque et crédibilité à la pièce. Tels M. Papillon
et Mme Bœuf, ce sont des marionnettes que l'auteur
manœuvre selon ses besoins.

Emmanuel Jacquart

Rhinocéros [1]

PIÈCE EN TROIS ACTES
ET QUATRE TABLEAUX

À Jean-Louis Barrault,
à Geneviève Serreau
et au docteur T. Fraenkel.

PERSONNAGES

par ordre d'entrée en scène :

	TABLEAU
LA MÉNAGÈRE	1er
L'ÉPICIÈRE	1er
JEAN	1er, 3e
BÉRENGER	1er, 2e, 3e, 4e
LA SERVEUSE	1er
L'ÉPICIER	1er
LE VIEUX MONSIEUR	1er
LE LOGICIEN	1er
LE PATRON DU CAFÉ	1er
DAISY	1er, 2e, 4e
MONSIEUR PAPILLON	2e
DUDARD	2e, 4e
BOTARD	2e
MADAME BŒUF	2e
UN POMPIER	2e
MONSIEUR JEAN	3e
LA FEMME DE MONSIEUR JEAN	3e
PLUSIEURS TÊTES DE RHINOCÉROS	

ACTE PREMIER

Décor

Une place dans une petite ville de province. Au fond, une maison composée d'un rez-de-chaussée et d'un étage. Au rez-de-chaussée, la devanture d'une épicerie. On y entre par une porte vitrée qui surmonte deux ou trois marches. Au-dessus de la devanture est écrit en caractères très visibles le mot : « ÉPICERIE ». Au premier étage, deux fenêtres qui doivent être celles du logement des épiciers. L'épicerie se trouve donc dans le fond du plateau, mais assez sur la gauche, pas loin des coulisses. On aperçoit, au-dessus de la maison de l'épicerie, le clocher d'une église, dans le lointain. Entre l'épicerie et le côté droit, la perspective d'une petite rue. Sur la droite, légèrement en biais, la devanture d'un café. Au-dessus du café, un étage avec une fenêtre. Devant la terrasse de ce café : plusieurs tables et chaises s'avancent jusque près du milieu du plateau. Un arbre poussiéreux près des chaises de la terrasse. Ciel bleu, lumière crue, murs très blancs. C'est un dimanche, pas loin de midi, en été. Jean et Bérenger iront s'asseoir à une table de la terrasse.

Avant le lever du rideau, on entend carillonner.

Le carillon cessera quelques secondes après le lever du rideau. Lorsque le rideau se lève, une femme, portant sous un bras un panier à provisions vide, et sous l'autre un chat, traverse en silence la scène, de droite à gauche. À son passage, l'Épicière ouvre la porte de la boutique et la regarde passer.

L'ÉPICIÈRE

Ah! celle-là! (*À son mari qui est dans la boutique.*) Ah! celle-là, elle est fière. Elle ne veut plus acheter chez nous.

> *L'Épicière disparaît, plateau vide quelques secondes.*
> *Par la droite, apparaît Jean; en même temps, par la gauche, apparaît Bérenger. Jean est très soigneusement vêtu : costume marron, cravate rouge, faux col amidonné, chapeau marron. Il est un peu rougeaud de figure. Il a des souliers jaunes, bien cirés; Bérenger n'est pas rasé, il est tête nue, les cheveux mal peignés, les vêtements chiffonnés; tout exprime chez lui la négligence[1], il a l'air fatigué, somnolent; de temps à autre, il bâille.*

JEAN, *venant de la droite.*

Vous voilà tout de même, Bérenger.

BÉRENGER, *venant de la gauche.*

Bonjour, Jean.

JEAN

Toujours en retard, évidemment ! (*Il regarde sa montre-bracelet.*) Nous avions rendez-vous à onze heures trente. Il est bientôt midi.

BÉRENGER

Excusez-moi. Vous m'attendez depuis long-temps ?

JEAN

Non. J'arrive, vous voyez bien.

> *Ils vont s'asseoir à une des tables de la terrasse du café.*

BÉRENGER

Alors, je me sens moins coupable, puisque... vous-même...

JEAN

Moi, c'est pas pareil, je n'aime pas attendre, je n'ai pas de temps à perdre. Comme vous ne venez jamais à l'heure, je viens exprès en retard, au moment où je suppose avoir la chance de vous trouver.

BÉRENGER

C'est juste... c'est juste, pourtant...

JEAN

Vous ne pouvez affirmer que vous venez à l'heure convenue !

BÉRENGER

Évidemment… je ne pourrais l'affirmer.

> *Jean et Bérenger se sont assis.*

JEAN

Vous voyez bien.

BÉRENGER

Qu'est-ce que vous buvez ?

JEAN

Vous avez soif, vous, dès le matin ?

BÉRENGER

Il fait tellement chaud, tellement sec.

JEAN

Plus on boit, plus on a soif, dit la science populaire…

BÉRENGER

Il ferait moins sec, on aurait moins soif si on pouvait faire venir dans notre ciel des nuages scientifiques.

JEAN, *examinant Bérenger.*

Ça ne ferait pas votre affaire. Ce n'est pas d'eau que vous avez soif, mon cher Bérenger…

BÉRENGER

Que voulez-vous dire par là, mon cher Jean ?

JEAN

Vous me comprenez très bien. Je parle de l'aridité de votre gosier. C'est une terre insatiable.

BÉRENGER

Votre comparaison, il me semble…

JEAN, *l'interrompant.*

Vous êtes dans un triste état, mon ami.

BÉRENGER

Dans un triste état, vous trouvez ?

JEAN

Je ne suis pas aveugle. Vous tombez de fatigue, vous avez encore perdu la nuit, vous bâillez, vous êtes mort de sommeil…

BÉRENGER

J'ai un peu mal aux cheveux…

JEAN

Vous puez l'alcool !

BÉRENGER

J'ai un petit peu la gueule de bois, c'est vrai !

JEAN

Tous les dimanches matin, c'est pareil, sans compter les jours de la semaine.

BÉRENGER

Ah ! non, en semaine, c'est moins fréquent, à cause du bureau…

JEAN

Et votre cravate, où est-elle ? Vous l'avez perdue dans vos ébats !

BÉRENGER, *mettant la main à son cou.*

Tiens, c'est vrai, c'est drôle, qu'est-ce que j'ai bien pu en faire ?

JEAN, *sortant une cravate de la poche*
de son veston.

Tenez, mettez celle-ci.

BÉRENGER

Oh, merci, vous êtes bien obligeant.

Il noue la cravate à son cou.

JEAN, *pendant que Bérenger*
noue sa cravate au petit bonheur.

Vous êtes tout décoiffé ! (*Bérenger passe les doigts dans ses cheveux.*) Tenez, voici un peigne !

Il sort un peigne de l'autre poche de son
veston.

BÉRENGER, *prenant le peigne.*

Merci.

Il se peigne vaguement.

JEAN

Vous ne vous êtes pas rasé ! Regardez la tête que vous avez.

Il sort une petite glace de la poche inté-
rieure de son veston, la tend à Bérenger qui

> *s'y examine; en se regardant dans la glace,*
> *il tire la langue.*

BÉRENGER

J'ai la langue bien chargée.

JEAN, *reprenant la glace et la remettant*
dans sa poche.

Ce n'est pas étonnant!... (*Il reprend aussi le*
peigne que lui tend Bérenger et le remet dans sa poche.)
La cirrhose vous menace, mon ami.

BÉRENGER, *inquiet.*

Vous croyez?...

JEAN, *à Bérenger qui veut lui rendre*
la cravate.

Gardez la cravate, j'en ai en réserve.

BÉRENGER, *admiratif.*

Vous êtes soigneux, vous.

JEAN, *continuant d'inspecter Bérenger.*

Vos vêtements sont tout chiffonnés, c'est lamentable, votre chemise est d'une saleté repoussante,
vos souliers... (*Bérenger essaye de cacher ses pieds sous*
la table.) Vos souliers ne sont pas cirés... Quel
désordre!... Vos épaules...

BÉRENGER

Qu'est-ce qu'elles ont, mes épaules?...

JEAN

Tournez-vous. Allez, tournez-vous. Vous vous
êtes appuyé contre un mur... (*Bérenger étend mollement sa main vers Jean.*) Non, je n'ai pas de brosse
sur moi. Cela gonflerait les poches. (*Toujours mollement, Bérenger donne des tapes sur ses épaules pour en
faire sortir la poussière blanche; Jean écarte la tête.*)
Oh! là là... Où donc avez-vous pris cela?

BÉRENGER

Je ne m'en souviens pas.

JEAN

C'est lamentable, lamentable! J'ai honte d'être
votre ami.

BÉRENGER

Vous êtes bien sévère...

JEAN

On le serait à moins!

BÉRENGER

Écoutez, Jean. Je n'ai guère de distractions, on
s'ennuie dans cette ville, je ne suis pas fait pour le
travail que j'ai... tous les jours, au bureau, pendant
huit heures, trois semaines seulement de vacances
en été! Le samedi soir, je suis plutôt fatigué, alors,
vous me comprenez, pour me détendre...

JEAN

Mon cher, tout le monde travaille et moi aussi,
moi aussi comme tout le monde, je fais tous les

jours mes huit heures de bureau, moi aussi, je n'ai que vingt et un jours de congé par an, et pourtant, pourtant vous me voyez. De la volonté, que diable !...

BÉRENGER

Oh ! de la volonté, tout le monde n'a pas la vôtre. Moi je ne m'y fais pas. Non, je ne m'y fais pas, à la vie.

JEAN

Tout le monde doit s'y faire. Seriez-vous une nature supérieure ?

BÉRENGER

Je ne prétends pas...

JEAN, *interrompant.*

Je vous vaux bien ; et même, sans fausse modestie, je vaux mieux que vous. L'homme supérieur est celui qui remplit son devoir.

BÉRENGER

Quel devoir ?

JEAN

Son devoir... son devoir d'employé par exemple...

BÉRENGER

Ah, oui, son devoir d'employé...

JEAN

Où donc ont eu lieu vos libations cette nuit? Si vous vous en souvenez!

BÉRENGER

Nous avons fêté l'anniversaire d'Auguste, notre ami Auguste…

JEAN

Notre ami Auguste? On ne m'a pas invité, moi, pour l'anniversaire de notre ami Auguste…

> *À ce moment, on entend le bruit très éloigné, mais se rapprochant très vite, d'un souffle de fauve et de sa course précipitée, ainsi qu'un long barrissement.*

BÉRENGER

Je n'ai pas pu refuser. Cela n'aurait pas été gentil…

JEAN

Y suis-je allé, moi?

BÉRENGER

C'est peut-être, justement, parce que vous n'avez pas été invité!…

LA SERVEUSE, *sortant du café.*

Bonjour, Messieurs, que désirez-vous boire?

> *Les bruits sont devenus très forts.*

JEAN, *à Bérenger et criant presque*
pour se faire entendre, au-dessus des bruits
qu'il ne perçoit pas consciemment.

Non, il est vrai, je n'étais pas invité. On ne m'a pas fait cet honneur… Toutefois, je puis vous assurer que même si j'avais été invité, je ne serais pas venu, car… (*Les bruits sont devenus énormes.*) Que se passe-t-il? (*Les bruits du galop d'un animal puissant et lourd sont tout proches, très accélérés; on entend son halètement.*) Mais qu'est-ce que c'est?

LA SERVEUSE

Mais qu'est-ce que c'est?

> *Bérenger, toujours indolent, sans avoir*
> *l'air d'entendre quoi que ce soit, répond*
> *tranquillement à Jean au sujet de l'invita-*
> *tion; il remue les lèvres; on n'entend pas ce*
> *qu'il dit; Jean se lève d'un bond, fait tom-*
> *ber sa chaise en se levant, regarde du côté*
> *de la coulisse gauche, en montrant du*
> *doigt, tandis que Bérenger, toujours un peu*
> *vaseux, reste assis.*

JEAN

Oh! un rhinocéros! (*Les bruits produits par l'ani-mal s'éloigneront à la même vitesse, si bien que l'on peut déjà distinguer les paroles qui suivent; toute cette scène doit être jouée très vite, répétant :*) Oh! un rhinocéros!

LA SERVEUSE

Oh! un rhinocéros!

L'ÉPICIÈRE, *qui montre sa tête par la porte*
de l'épicerie.

Oh! un rhinocéros! (*À son mari, resté dans la*
boutique :) Viens vite voir, un rhinocéros!

> *Tous suivent du regard, à gauche, la*
> *course du fauve.*

JEAN

Il fonce droit devant lui, frôle les étalages!

L'ÉPICIER, *dans sa boutique.*

Où ça?

LA SERVEUSE, *mettant les mains*
sur les hanches.

Oh!

L'ÉPICIÈRE, *à son mari qui est toujours*
dans sa boutique.

Viens voir!

> *Juste à ce moment l'Épicier montre sa tête.*

L'ÉPICIER, *montrant sa tête.*

Oh! un rhinocéros!

LE LOGICIEN, *venant vite en scène*
par la gauche.

Un rhinocéros, à toute allure sur le trottoir
d'en face!

> *Toutes ces répliques, à partir de : « Oh!*
> *un rhinocéros! » dit par Jean, sont presque*
> *simultanées. On entend un « ah! » poussé*

*par une femme. Elle apparaît. Elle court
jusqu'au milieu du plateau ; c'est la Ménagère avec son panier au bras ; une fois arri-
vée au milieu du plateau, elle laisse tomber
son panier ; ses provisions se répandent sur
la scène, une bouteille se brise, mais elle ne
lâche pas le chat tenu sous l'autre bras.*

LA MÉNAGÈRE

Ah ! Oh !

*Le Vieux Monsieur élégant venant de la
gauche, à la suite de la Ménagère, se précipite dans la boutique des épiciers, les bous-
cule, entre, tandis que le Logicien ira se
plaquer contre le mur du fond, à gauche de
l'entrée de l'épicerie. Jean et la Serveuse
debout, Bérenger assis, toujours apathique,
forment un autre groupe. En même temps,
on a pu entendre en provenance de la gauche
des « oh ! », des « ah ! », des pas de gens qui
fuient. La poussière, soulevée par le fauve,
se répand sur le plateau.*

LE PATRON, *sortant sa tête par la fenêtre
à l'étage au-dessus du café.*

Que se passe-t-il ?

LE VIEUX MONSIEUR, *disparaissant derrière
les épiciers.*

Pardon !

*Le Vieux Monsieur élégant a des guêtres
blanches, un chapeau mou, une canne à*

*pommeau d'ivoire ; le Logicien est plaqué
contre le mur, il a une petite moustache grise,
des lorgnons, il est coiffé d'un canotier.*

L'ÉPICIÈRE, *bousculée et bousculant son
mari, au Vieux Monsieur.*

Attention, vous, avec votre canne !

L'ÉPICIER

Non, mais des fois, attention !

> *On verra la tête du Vieux Monsieur der-
> rière les épiciers.*

LA SERVEUSE, *au Patron.*

Un rhinocéros !

LE PATRON, *de sa fenêtre, à la Serveuse.*

Vous rêvez ! (*Voyant le rhinocéros.*) Oh ! ça alors !

LA MÉNAGÈRE

Ah ! (*Les « oh » et les « ah » des coulisses sont comme
un arrière-fond sonore à son « ah » à elle ; la Ménagère, qui a laissé tomber son panier à provisions et
la bouteille, n'a donc pas laissé tomber son chat
qu'elle tient sous l'autre bras.*) Pauvre minet, il a eu
peur !

LE PATRON, *regardant toujours
vers la gauche, suivant des yeux la course
de l'animal, tandis que les bruits produits
par celui-ci vont en décroissant : sabots,
barrissements, etc. Bérenger, lui, écarte
simplement un peu la tête, à cause de la*

poussière, un peu endormi, sans rien dire ;
il fait simplement une grimace.

Ça alors !

JEAN, *écartant lui aussi un peu la tête,*
mais avec vivacité.

Ça alors !

Il éternue.

LA MÉNAGÈRE, *au milieu du plateau,*
mais elle s'est retournée vers la gauche ;
les provisions sont répandues par terre
autour d'elle.

Ça alors !

Elle éternue.

LE VIEUX MONSIEUR, L'ÉPICIÈRE, L'ÉPICIER,
au fond, réouvrant la porte vitrée
de l'épicerie, que le Vieux Monsieur
avait refermée derrière lui.

Ça alors !

JEAN

Ça alors ! (*À Bérenger.*) Vous avez vu ?

Les bruits produits par le rhinocéros, son
barrissement se sont bien éloignés ; les gens
suivent encore du regard l'animal, debout,
sauf Bérenger, toujours apathique et assis.

TOUS, *sauf Bérenger.*

Ça alors !

BÉRENGER, *à Jean.*

Il me semble, oui, c'était un rhinocéros! Ça en fait de la poussière!

Il sort son mouchoir, se mouche.

LA MÉNAGÈRE

Ça alors! Ce que j'ai eu peur!

L'ÉPICIER, *à la Ménagère.*

Votre panier… vos provisions…

LE VIEUX MONSIEUR, *s'approchant de la Dame et se baissant pour ramasser les provisions éparpillées sur le plancher. Il la salue galamment, enlevant son chapeau.*

LE PATRON

Tout de même, on n'a pas idée…

LA SERVEUSE

Par exemple!…

LE VIEUX MONSIEUR, *à la Dame.*

Voulez-vous me permettre de vous aider à ramasser vos provisions?

LA DAME, *au Vieux Monsieur.*

Merci, Monsieur. Couvrez-vous, je vous prie. Oh! ce que j'ai eu peur.

LE LOGICIEN

La peur est irrationnelle. La raison doit la vaincre[1].

LA SERVEUSE

On ne le voit déjà plus.

LE VIEUX MONSIEUR, *à la Ménagère,*
montrant le Logicien.

Mon ami est logicien.

JEAN, *à Bérenger.*

Qu'est-ce que vous en dites ?

LA SERVEUSE

Ça va vite ces animaux-là !

LA MÉNAGÈRE, *au Logicien.*

Enchantée, Monsieur.

L'ÉPICIÈRE, *à l'Épicier.*

C'est bien fait pour elle. Elle ne l'a pas acheté chez nous.

JEAN, *au Patron et à la Serveuse.*

Qu'est-ce que vous en dites ?

LA MÉNAGÈRE

Je n'ai quand même pas lâché mon chat.

LE PATRON, *haussant les épaules,*
à la fenêtre.

On ne voit pas ça souvent !

LA MÉNAGÈRE, *au Logicien,*
tandis que le Vieux Monsieur ramasse
les provisions.

Voulez-vous le garder un instant?

LA SERVEUSE, *à Jean.*

J'en avais jamais vu!

LE LOGICIEN, *à la Ménagère,*
prenant le chat dans ses bras.

Il n'est pas méchant?

LE PATRON, *à Jean.*

C'est comme une comète!

LA MÉNAGÈRE, *au Logicien.*

Il est gentil comme tout. (*Aux autres.*) Mon vin,
au prix où il est!

L'ÉPICIER, *à la Ménagère.*

J'en ai, c'est pas ça qui manque!

JEAN, *à Bérenger.*

Dites, qu'est-ce que vous en dites?

L'ÉPICIER, *à la Ménagère.*

Et du bon!

LE PATRON, *à la Serveuse.*

Ne perdez pas votre temps! Occupez-vous de
ces Messieurs!

Il montre Bérenger et Jean, il rentre sa tête.

BÉRENGER, *à Jean.*

De quoi parlez-vous?

L'ÉPICIÈRE, *à l'Épicier.*

Va donc lui porter une autre bouteille!

JEAN, *à Bérenger.*

Du rhinocéros, voyons, du rhinocéros!

L'ÉPICIER, *à la Ménagère.*

J'ai du bon vin, dans des bouteilles incassables!

Il disparaît dans la boutique.

LE LOGICIEN, *caressant le chat
dans ses bras.*

Minet! minet! minet!

LA SERVEUSE, *à Bérenger et à Jean.*

Que voulez-vous boire?

BÉRENGER, *à la Serveuse.*

Deux pastis!

LA SERVEUSE

Bien, Monsieur.

Elle se dirige vers l'entrée du café.

LA MÉNAGÈRE, *ramassant ses provisions,
aidée par le Vieux Monsieur.*

Vous êtes bien aimable, Monsieur.

LA SERVEUSE

Alors, deux pastis !

Elle entre dans le café.

LE VIEUX MONSIEUR, *à la Ménagère.*

C'est la moindre des choses, chère Madame.

L'Épicière entre dans sa boutique.

LE LOGICIEN, *au Monsieur, à la Ménagère,
qui sont en train de ramasser les provisions.*

Remettez-les méthodiquement.

JEAN, *à Bérenger.*

Alors, qu'est-ce que vous en dites ?

BÉRENGER, *à Jean, ne sachant quoi dire.*

Ben... rien... Ça fait de la poussière...

L'ÉPICIER, *sortant de la boutique avec une
bouteille de vin, à la Ménagère.*

J'ai aussi des poireaux.

LE LOGICIEN, *toujours caressant le chat
dans ses bras.*

Minet ! minet ! minet !

L'ÉPICIER, *à la Ménagère.*

C'est cent francs le litre.

LA MÉNAGÈRE, *donnant l'argent à l'Épicier,*
puis s'adressant au Vieux Monsieur
qui a réussi à tout remettre dans le panier.

Vous êtes bien aimable. Ah! la politesse française! C'est pas comme les jeunes d'aujourd'hui!

L'ÉPICIER, *prenant l'argent de la Ménagère.*

Il faudra venir acheter chez nous. Vous n'aurez
pas à traverser la rue. Vous ne risquerez plus les
mauvaises rencontres!

Il rentre dans sa boutique.

JEAN, *qui s'est rassis et pense toujours*
au rhinocéros.

C'est tout de même extraordinaire!

LE VIEUX MONSIEUR, *il soulève*
son chapeau, baise la main
de la Ménagère.

Très heureux de vous connaître!

LA MÉNAGÈRE, *au Logicien.*

Merci, Monsieur, d'avoir tenu mon chat.

Le Logicien rend le chat à la Ménagère.
La Serveuse réapparaît avec les consomma-
tions.

LA SERVEUSE

Voici vos pastis, Messieurs!

JEAN, *à Bérenger.*

Incorrigible!

LE VIEUX MONSIEUR, *à la Ménagère.*

Puis-je vous faire un bout de conduite ?

BÉRENGER, *à Jean, montrant la Serveuse*
qui rentre de nouveau dans la boutique.

J'avais demandé de l'eau minérale. Elle s'est
trompée.

Jean hausse les épaules, méprisant et
incrédule.

LA MÉNAGÈRE, *au Vieux Monsieur.*

Mon mari m'attend, cher Monsieur. Merci. Ce
sera pour une autre fois !

LE VIEUX MONSIEUR, *à la Ménagère.*

Je l'espère de tout mon cœur, chère Madame.

LA MÉNAGÈRE, *au Vieux Monsieur.*

Moi aussi !

Yeux doux, puis elle sort par la gauche.

BÉRENGER

Il n'y a plus de poussière...

Jean hausse de nouveau les épaules.

LE VIEUX MONSIEUR, *au Logicien, suivant*
du regard la Ménagère.

Délicieuse !...

JEAN, *à Bérenger.*

Un rhinocéros ! Je n'en reviens pas !

*Le Vieux Monsieur et le Logicien se diri-
gent vers la droite, doucement, par où ils
vont sortir. Ils devisent tranquillement.*

LE VIEUX MONSIEUR, *au Logicien,
après avoir jeté un dernier coup d'œil
en direction de la Ménagère.*

Charmante, n'est-ce pas ?

LE LOGICIEN, *au Vieux Monsieur.*

Je vais vous expliquer le syllogisme.

LE VIEUX MONSIEUR

Ah ! oui, le syllogisme !

JEAN, *à Bérenger.*

Je n'en reviens pas ! C'est inadmissible.

Bérenger bâille.

LE LOGICIEN, *au Vieux Monsieur.*

Le syllogisme comprend la proposition princi-
pale, la secondaire et la conclusion[1].

LE VIEUX MONSIEUR

Quelle conclusion ?

Le Logicien et le Vieux Monsieur sortent.

JEAN

Non, je n'en reviens pas.

BÉRENGER, *à Jean.*

Ça se voit que vous n'en revenez pas. C'était un

rhinocéros, eh bien, oui, c'était un rhinocéros!...
Il est loin... il est loin...

JEAN

Mais voyons, voyons... C'est inouï! Un rhinocéros en liberté dans la ville, cela ne vous sur-
prend pas? On ne devrait pas le permettre!
(*Bérenger bâille.*) Mettez donc la main devant votre
bouche!...

BÉRENGER

Ouais... ouais... On ne devrait pas le permettre.
C'est dangereux. Je n'y avais pas pensé. Ne vous
en faites pas, nous sommes hors d'atteinte.

JEAN

Nous devrions protester auprès des autorités
municipales! À quoi sont-elles bonnes les autorités municipales?

BÉRENGER, *bâillant, puis mettant vivement
la main à sa bouche.*

Oh! pardon... Peut-être que le rhinocéros
s'est-il échappé du jardin zoologique!

JEAN

Vous rêvez debout!

BÉRENGER

Je suis assis.

JEAN

Assis ou debout, c'est la même chose.

BÉRENGER

Il y a tout de même une différence.

JEAN

Il ne s'agit pas de cela.

BÉRENGER

C'est vous qui venez de dire que c'est la même chose, d'être assis ou debout...

JEAN

Vous avez mal compris. Assis ou debout, c'est la même chose, quand on rêve!...

BÉRENGER

Eh oui, je rêve... La vie est un rêve[1].

JEAN, *continuant.*

... Vous rêvez quand vous dites que le rhinocéros s'est échappé du jardin zoologique...

BÉRENGER

J'ai dit : peut-être...

JEAN, *continuant.*

... car il n'y a plus de jardin zoologique dans notre ville depuis que les animaux ont été décimés par la peste... il y a fort longtemps[2]...

BÉRENGER, *même indifférence.*

Alors, peut-être vient-il du cirque ?

JEAN

De quel cirque parlez-vous ?

BÉRENGER

Je ne sais pas… un cirque ambulant.

JEAN

Vous savez bien que la mairie a interdit aux nomades de séjourner sur le territoire de la commune… Il n'en passe plus depuis notre enfance.

BÉRENGER, *s'empêchant de bâiller*
et n'y arrivant pas.

Dans ce cas, peut-être était-il depuis lors resté caché dans les bois marécageux des alentours ?

JEAN, *levant les bras au ciel.*

Les bois marécageux des alentours ! Les bois marécageux des alentours ! Mon pauvre ami, vous êtes tout à fait dans les brumes épaisses de l'alcool.

BÉRENGER, *naïf.*

Ça c'est vrai… elles montent de l'estomac…

JEAN

Elles vous enveloppent le cerveau. Où connaissez-vous des bois marécageux dans les alentours ?… Notre province est surnommée « *La petite Castille* » tellement elle est désertique !

BÉRENGER, *excédé et assez fatigué.*

Que sais-je alors? Peut-être s'est-il abrité sous un caillou?... Peut-être a-t-il fait son nid sur une branche desséchée?...

JEAN

Si vous vous croyez spirituel, vous vous trompez, sachez-le! Vous êtes ennuyeux avec... avec vos paradoxes! Je vous tiens pour incapable de parler sérieusement!

BÉRENGER

Aujourd'hui, aujourd'hui seulement... À cause de... parce que je...

Il montre sa tête d'un geste vague.

JEAN

Aujourd'hui, autant que d'habitude!

BÉRENGER

Pas autant, tout de même.

JEAN

Vos mots d'esprit ne valent rien!

BÉRENGER

Je ne prétends nullement...

JEAN, *l'interrompant.*

Je déteste qu'on se paie ma tête!

BÉRENGER, *la main sur le cœur.*

Je ne me permettrais jamais, mon cher Jean…

JEAN, *l'interrompant.*

Mon cher Bérenger, vous vous le permettez…

BÉRENGER

Non, ça non, je ne me le permets pas.

JEAN

Si, vous venez de vous le permettre !

BÉRENGER

Comment pouvez-vous penser…?

JEAN, *l'interrompant.*

Je pense ce qui est !

BÉRENGER

Je vous assure…

JEAN, *l'interrompant.*

… Que vous vous payez ma tête !

BÉRENGER

Vraiment, vous êtes têtu.

JEAN

Vous me traitez de bourrique, par-dessus le marché. Vous voyez bien, vous m'insultez.

BÉRENGER

Cela ne peut pas me venir à l'esprit.

JEAN

Vous n'avez pas d'esprit !

BÉRENGER

Raison de plus pour que cela ne me vienne pas
à l'esprit.

JEAN

Il y a des choses qui viennent à l'esprit même
de ceux qui n'en ont pas.

BÉRENGER

Cela est impossible.

JEAN

Pourquoi cela est-il impossible ?

BÉRENGER

Parce que c'est impossible.

JEAN

Expliquez-moi pourquoi cela est impossible,
puisque vous prétendez être en mesure de tout
expliquer...

BÉRENGER

Je n'ai jamais prétendu une chose pareille.

JEAN

Alors, pourquoi vous en donnez-vous l'air ! Et,
encore une fois, pourquoi m'insultez-vous ?

BÉRENGER

Je ne vous insulte pas. Au contraire. Vous savez à quel point je vous estime.

JEAN

Si vous m'estimez, pourquoi me contredisez-vous en prétendant qu'il n'est pas dangereux de laisser courir un rhinocéros en plein centre de la ville, surtout un dimanche matin, quand les rues sont pleines d'enfants… et aussi d'adultes…

BÉRENGER

Beaucoup sont à la messe. Ceux-là ne risquent rien…

JEAN, *l'interrompant.*

Permettez… à l'heure du marché, encore.

BÉRENGER

Je n'ai jamais affirmé qu'il n'était pas dangereux de laisser courir un rhinocéros dans la ville. J'ai dit tout simplement que je n'avais pas réfléchi à ce danger. Je ne me suis pas posé la question.

JEAN

Vous ne réfléchissez jamais à rien !

BÉRENGER

Bon, d'accord. Un rhinocéros en liberté, ça n'est pas bien.

JEAN

Cela ne devrait pas exister.

BÉRENGER

C'est entendu. Cela ne devrait pas exister. C'est même une chose insensée. Bien. Pourtant, ce n'est pas une raison de vous quereller avec moi pour ce fauve. Quelle histoire me cherchez-vous à cause d'un quelconque périssodactyle qui vient de passer tout à fait par hasard, devant nous ? Un quadrupède stupide qui ne mérite même pas qu'on en parle ! Et féroce en plus... Et qui a disparu aussi, qui n'existe plus. On ne va pas se préoccuper d'un animal qui n'existe pas. Parlons d'autre chose, mon cher Jean, parlons d'autre chose, les sujets de conversation ne manquent pas... (*Il bâille, il prend son verre.*) À votre santé !

> À ce moment, le Logicien et le Vieux Monsieur entrent de nouveau, par la droite ; ils iront s'installer, tout en parlant, à une des tables de la terrasse du café, assez loin de Bérenger et de Jean, en arrière et à droite de ceux-ci.

JEAN

Laissez ce verre sur la table. Ne le buvez pas.

> Jean boit une grande gorgée de son pastis et pose le verre à moitié vide sur la table. Bérenger continue de tenir son verre dans la main, sans le poser, sans oser le boire non plus.

BÉRENGER

Je ne vais tout de même pas le laisser au patron !

> Il fait mine de vouloir boire.

JEAN

Laissez-le, je vous dis.

BÉRENGER

Bon. (*Il veut remettre le verre sur la table. À ce moment passe Daisy, jeune dactylo blonde, qui traverse le plateau, de droite à gauche. En apercevant Daisy, Bérenger se lève brusquement et, en se levant, il fait un geste maladroit ; le verre tombe et mouille le pantalon de Jean.*) Oh ! Daisy.

JEAN

Attention ! Que vous êtes maladroit.

BÉRENGER

C'est Daisy… excusez-moi… (*Il va se cacher, pour ne pas être vu par Daisy.*) Je ne veux pas qu'elle me voie… dans l'état où je suis.

JEAN

Vous êtes impardonnable, absolument impardonnable ! (*Il regarde vers Daisy qui disparaît.*) Cette jeune fille vous effraye ?

BÉRENGER

Taisez-vous, taisez-vous.

JEAN

Elle n'a pas l'air méchant, pourtant !

BÉRENGER, *revenant vers Jean une fois que Daisy a disparu.*

Excusez-moi, encore une fois, pour…

JEAN

Voilà ce que c'est de boire, vous n'êtes plus maître de vos mouvements, vous n'avez plus de force dans les mains, vous êtes ahuri, esquinté. Vous creusez votre propre tombe, mon cher ami. Vous vous perdez.

BÉRENGER

Je n'aime pas tellement l'alcool. Et pourtant si je ne bois pas, ça ne va pas. C'est comme si j'avais peur, alors je bois pour ne plus avoir peur.

JEAN

Peur de quoi?

BÉRENGER

Je ne sais pas trop. Des angoisses difficiles à définir. Je me sens mal à l'aise dans l'existence, parmi les gens, alors je prends un verre. Cela me calme, cela me détend, j'oublie[1].

JEAN

Vous vous oubliez!

BÉRENGER

Je suis fatigué, depuis des années fatigué. J'ai du mal à porter le poids de mon propre corps...

JEAN

C'est de la neurasthénie alcoolique, la mélancolie du buveur de vin...

BÉRENGER, *continuant.*

Je sens à chaque instant mon corps, comme s'il était de plomb, ou comme si je portais un autre homme sur le dos. Je ne me suis pas habitué à moi-même. Je ne sais pas si je suis moi. Dès que je bois un peu, le fardeau disparaît, et je me reconnais, je deviens moi.

JEAN

Des élucubrations! Bérenger, regardez-moi. Je pèse plus que vous. Pourtant, je me sens léger, léger, léger!

> *Il bouge ses bras comme s'il allait s'envoler. Le Vieux Monsieur et le Logicien qui sont de nouveau entrés sur le plateau ont fait quelques pas sur la scène en devisant. Juste à ce moment, ils passent à côté de Jean et de Bérenger. Un bras de Jean heurte très fort le Vieux Monsieur qui bascule dans les bras du Logicien.*

LE LOGICIEN, *continuant la discussion.*

Un exemple de syllogisme… (*Il est heurté.*) Oh!…

LE VIEUX MONSIEUR, *à Jean.*

Attention. (*Au Logicien.*) Pardon.

JEAN, *au Vieux Monsieur*[1].

Pardon.

LE LOGICIEN, *au Vieux Monsieur.*

Il n'y a pas de mal.

LE VIEUX MONSIEUR, *à Jean.*

Il n'y a pas de mal.

> *Le Vieux Monsieur et le Logicien vont s'asseoir à l'une des tables de la terrasse, un peu à droite et derrière Jean et Bérenger.*

BÉRENGER, *à Jean.*

Vous avez de la force.

JEAN

Oui, j'ai de la force, j'ai de la force pour plusieurs raisons. D'abord, j'ai de la force parce que j'ai de la force, ensuite j'ai de la force parce que j'ai de la force morale. J'ai aussi de la force parce que je ne suis pas alcoolisé. Je ne veux pas vous vexer, mon cher ami, mais je dois vous dire que c'est l'alcool qui pèse en réalité.

LE LOGICIEN, *au Vieux Monsieur.*

Voici donc un syllogisme exemplaire. Le chat a quatre pattes. Isidore et Fricot ont chacun quatre pattes. Donc Isidore et Fricot sont chats.

LE VIEUX MONSIEUR, *au Logicien.*

Mon chien aussi a quatre pattes.

LE LOGICIEN, *au Vieux Monsieur.*

Alors, c'est un chat.

BÉRENGER, *à Jean.*

Moi, j'ai à peine la force de vivre. Je n'en ai plus envie peut-être.

LE VIEUX MONSIEUR, *au Logicien*
après avoir longuement réfléchi.

Donc, logiquement, mon chien serait un chat.

LE LOGICIEN, *au Vieux Monsieur.*

Logiquement, oui. Mais le contraire est aussi vrai.

BÉRENGER, *à Jean.*

La solitude me pèse. La société aussi.

JEAN, *à Bérenger.*

Vous vous contredisez. Est-ce la solitude qui pèse, ou est-ce la multitude ? Vous vous prenez pour un penseur et vous n'avez aucune logique.

LE VIEUX MONSIEUR, *au Logicien.*

C'est très beau, la logique.

LE LOGICIEN, *au Vieux Monsieur.*

À condition de ne pas en abuser.

BÉRENGER, *à Jean.*

C'est une chose anormale de vivre.

JEAN

Au contraire. Rien de plus naturel. La preuve : tout le monde vit.

BÉRENGER

Les morts sont plus nombreux que les vivants[1]. Leur nombre augmente. Les vivants sont rares.

JEAN

Les morts, ça n'existe pas, c'est le cas de le dire!... Ah! ah!... (*Gros rire.*) Ceux-là aussi vous pèsent? Comment peuvent peser des choses qui n'existent pas?

BÉRENGER

Je me demande moi-même si j'existe!

JEAN, *à Bérenger.*

Vous n'existez pas, mon cher, parce que vous ne pensez pas! Pensez, et vous serez.

LE LOGICIEN, *au Vieux Monsieur.*

Autre syllogisme : tous les chats sont mortels. Socrate est mortel. Donc Socrate est un chat[1].

LE VIEUX MONSIEUR

Et il a quatre pattes. C'est vrai, j'ai un chat qui s'appelle Socrate.

LE LOGICIEN

Vous voyez...

JEAN, *à Bérenger.*

Vous êtes un farceur, dans le fond. Un menteur. Vous dites que la vie ne vous intéresse pas. Quelqu'un, cependant, vous intéresse!

BÉRENGER

Qui?

JEAN

Votre petite camarade de bureau, qui vient de passer. Vous en êtes amoureux !

LE VIEUX MONSIEUR, *au Logicien.*

Socrate était donc un chat !

LE LOGICIEN, *au Vieux Monsieur.*

La logique vient de nous le révéler.

JEAN, *à Bérenger.*

Vous ne vouliez pas qu'elle vous voie dans le triste état où vous vous trouviez. (*Geste de Bérenger.*) Cela prouve que tout ne vous est pas indifférent. Mais comment voulez-vous que Daisy soit séduite par un ivrogne ?

LE LOGICIEN, *au Vieux Monsieur.*

Revenons à nos chats.

LE VIEUX MONSIEUR, *au Logicien.*

Je vous écoute.

BÉRENGER, *à Jean.*

De toute façon, je crois qu'elle a déjà quelqu'un en vue.

JEAN, *à Bérenger.*

Qui donc ?

BÉRENGER

Dudard. Un collègue de bureau : licencié en droit, juriste, grand avenir dans la maison, de l'avenir dans le cœur de Daisy; je ne peux pas rivaliser avec lui.

LE LOGICIEN, *au Vieux Monsieur.*

Le chat Isidore a quatre pattes.

LE VIEUX MONSIEUR

Comment le savez-vous?

LE LOGICIEN

C'est donné par hypothèse.

BÉRENGER, *à Jean.*

Il est bien vu par le chef. Moi, je n'ai pas d'avenir, pas fait d'études, je n'ai aucune chance.

LE VIEUX MONSIEUR, *au Logicien.*

Ah! par hypothèse!

JEAN, *à Bérenger.*

Et vous renoncez, comme cela...

BÉRENGER, *à Jean.*

Que pourrais-je faire?

LE LOGICIEN, *au Vieux Monsieur.*

Fricot aussi a quatre pattes. Combien de pattes auront Fricot et Isidore?

LE VIEUX MONSIEUR, *au Logicien.*

Ensemble ou séparément?

JEAN, *à Bérenger.*

La vie est une lutte, c'est lâche de ne pas combattre !

LE LOGICIEN, *au Vieux Monsieur.*

Ensemble, ou séparément, c'est selon.

BÉRENGER, *à Jean.*

Que voulez-vous, je suis désarmé.

JEAN

Armez-vous, mon cher, armez-vous.

LE VIEUX MONSIEUR, *au Logicien,*
après avoir péniblement réfléchi.

Huit, huit pattes.

LE LOGICIEN

La logique mène au calcul mental.

LE VIEUX MONSIEUR

Elle a beaucoup de facettes !

BÉRENGER, *à Jean.*

Où trouver les armes ?

LE LOGICIEN, *au Vieux Monsieur.*

La logique n'a pas de limites !

JEAN

En vous-même. Par votre volonté.

BÉRENGER, *à Jean.*

Quelles armes ?

LE LOGICIEN, *au Vieux Monsieur.*

Vous allez voir…

JEAN, *à Bérenger.*

Les armes de la patience, de la culture, les armes de l'intelligence. (*Bérenger bâille.*) Devenez un esprit vif et brillant. Mettez-vous à la page.

BÉRENGER, *à Jean.*

Comment se mettre à la page ?

LE LOGICIEN, *au Vieux Monsieur.*

J'enlève deux pattes à ces chats. Combien leur en restera-t-il à chacun ?

LE VIEUX MONSIEUR

C'est compliqué.

BÉRENGER, *à Jean.*

C'est compliqué.

LE LOGICIEN, *au Vieux Monsieur.*

C'est simple au contraire.

LE VIEUX MONSIEUR, *au Logicien.*

C'est facile pour vous, peut-être, pas pour moi.

BÉRENGER, *à Jean.*

C'est facile pour vous, peut-être, pas pour moi.

LE LOGICIEN, *au Vieux Monsieur.*

Faites un effort de pensée, voyons. Appliquez-vous.

JEAN, *à Bérenger.*

Faites un effort de pensée, voyons. Appliquez-vous.

LE VIEUX MONSIEUR, *au Logicien.*

Je ne vois pas.

BÉRENGER, *à Jean.*

Je ne vois vraiment pas.

LE LOGICIEN, *au Vieux Monsieur.*

On doit tout vous dire.

JEAN, *à Bérenger.*

On doit tout vous dire.

LE LOGICIEN, *au Vieux Monsieur.*

Prenez une feuille de papier, calculez. On enlève six pattes aux deux chats, combien de pattes restera-t-il à chaque chat?

LE VIEUX MONSIEUR

Attendez…

Il calcule sur une feuille de papier qu'il tire de sa poche.

JEAN

Voilà ce qu'il faut faire : vous vous habillez correctement, vous vous rasez tous les jours, vous mettez une chemise propre.

BÉRENGER, *à Jean.*

C'est cher, le blanchissage…

JEAN, *à Bérenger.*

Économisez sur l'alcool. Ceci, pour l'extérieur : chapeau, cravate comme celle-ci, costume élégant, chaussures bien cirées.

> *En parlant des éléments vestimentaires, Jean montre avec fatuité son propre chapeau, sa propre cravate, ses propres souliers.*

LE VIEUX MONSIEUR, *au Logicien.*

Il y a plusieurs solutions possibles.

LE LOGICIEN, *au Vieux Monsieur.*

Dites.

BÉRENGER, *à Jean.*

Ensuite, que faire ? Dites…

LE LOGICIEN, *au Vieux Monsieur.*

Je vous écoute.

BÉRENGER, *à Jean.*

Je vous écoute.

JEAN, *à Bérenger.*

Vous êtes timide, mais vous avez des dons.

BÉRENGER, *à Jean.*

Moi, j'ai des dons?

JEAN

Mettez-les en valeur. Il faut être dans le coup.
Soyez au courant des événements littéraires et
culturels de notre époque.

LE VIEUX MONSIEUR, *au Logicien.*

Une première possibilité : un chat peut avoir
quatre pattes, l'autre deux.

BÉRENGER, *à Jean.*

J'ai si peu de temps libre.

LE LOGICIEN

Vous avez des dons, il suffisait de les mettre en
valeur.

JEAN

Le peu de temps libre que vous avez, mettez-
le donc à profit. Ne vous laissez pas aller à la
dérive.

LE VIEUX MONSIEUR

Je n'ai guère eu le temps. J'ai été fonctionnaire.

LE LOGICIEN, *au Vieux Monsieur.*

On trouve toujours le temps de s'instruire.

JEAN, *à Bérenger.*

On a toujours le temps.

BÉRENGER, *à Jean.*

C'est trop tard.

LE VIEUX MONSIEUR, *au Logicien.*

C'est un peu tard, pour moi.

JEAN, *à Bérenger.*

Il n'est jamais trop tard.

LE LOGICIEN, *au Vieux Monsieur.*

Il n'est jamais trop tard.

JEAN, *à Bérenger.*

Vous avez huit heures de travail, comme moi, comme tout le monde, mais le dimanche, mais le soir, mais les trois semaines de vacances en été? Cela suffit, avec de la méthode.

LE LOGICIEN, *au Vieux Monsieur.*

Alors, les autres solutions? Avec méthode, avec méthode…

> *Le Vieux Monsieur se met à calculer de nouveau.*

JEAN, *à Bérenger.*

Tenez, au lieu de boire et d'être malade, ne vaut-il pas mieux être frais et dispos, même au bureau? Et vous pouvez passer vos moments disponibles d'une façon intelligente.

BÉRENGER, *à Jean.*

C'est-à-dire?…

JEAN, *à Bérenger.*

Visitez les musées, lisez des revues littéraires, allez entendre des conférences. Cela vous sortira de vos angoisses, cela vous formera l'esprit. En quatre semaines, vous êtes un homme cultivé.

BÉRENGER, *à Jean.*

Vous avez raison !

LE VIEUX MONSIEUR, *au Logicien.*

Il peut y avoir un chat à cinq pattes...

JEAN, *à Bérenger.*

Vous le dites vous-même.

LE VIEUX MONSIEUR, *au Logicien.*

Et un autre chat à une patte. Mais alors seront-ils toujours des chats ?

LE LOGICIEN, *au Vieux Monsieur.*

Pourquoi pas ?

JEAN, *à Bérenger.*

Au lieu de dépenser tout votre argent disponible en spiritueux, n'est-il pas préférable d'acheter des billets de théâtre pour voir un spectacle intéressant ? Connaissez-vous le théâtre d'avant-garde, dont on parle tant ? Avez-vous vu les pièces de Ionesco[1] ?

BÉRENGER, *à Jean.*

Non, hélas ! J'en ai entendu parler seulement.

LE VIEUX MONSIEUR, *au Logicien.*

En enlevant les deux pattes sur huit, des deux chats...

JEAN, *à Bérenger.*

Il en passe une, en ce moment. Profitez-en.

LE VIEUX MONSIEUR

Nous pouvons avoir un chat à six pattes.

BÉRENGER

Ce sera une excellente initiation à la vie artistique de notre temps.

LE VIEUX MONSIEUR, *au Logicien.*

Et un chat, sans pattes du tout.

BÉRENGER

Vous avez raison, vous avez raison. Je vais me mettre à la page, comme vous dites.

LE LOGICIEN, *au Vieux Monsieur.*

Dans ce cas, il y aurait un chat privilégié.

BÉRENGER, *à Jean.*

Je vous le promets.

JEAN

Promettez-le-vous à vous-même, surtout.

LE VIEUX MONSIEUR

Et un chat aliéné de toutes ses pattes, déclassé ?

BÉRENGER

Je me le promets solennellement. Je tiendrai parole à moi-même.

LE LOGICIEN

Cela ne serait pas juste. Donc ce ne serait pas logique.

BÉRENGER, *à Jean.*

Au lieu de boire, je décide de cultiver mon esprit. Je me sens déjà mieux. J'ai déjà la tête plus claire.

JEAN

Vous voyez bien !

LE VIEUX MONSIEUR, *au Logicien.*

Pas logique ?

BÉRENGER

Dès cet après-midi, j'irai au musée municipal. Pour ce soir, j'achète deux places au théâtre. M'accompagnez-vous ?

LE LOGICIEN, *au Vieux Monsieur.*

Car la justice, c'est la logique.

JEAN, *à Bérenger.*

Il faudra persévérer. Il faut que vos bonnes intentions durent.

LE VIEUX MONSIEUR, *au Logicien.*

Je saisis. La justice...

BÉRENGER, *à Jean.*

Je vous le promets, je me le promets. M'accompagnez-vous au musée cet après-midi ?

JEAN, *à Bérenger.*

Cet après-midi, je fais la sieste, c'est dans mon programme.

LE VIEUX MONSIEUR, *au Logicien.*

La justice, c'est encore une facette de la logique.

BÉRENGER, *à Jean.*

Mais vous voulez bien venir avec moi ce soir au théâtre ?

JEAN

Non, pas ce soir.

LE LOGICIEN, *au Vieux Monsieur.*

Votre esprit s'éclaire !

JEAN, *à Bérenger.*

Je souhaite que vous persévériez dans vos bonnes intentions. Mais, ce soir, je dois rencontrer des amis à la brasserie.

BÉRENGER

À la brasserie ?

LE VIEUX MONSIEUR, *au Logicien.*

D'ailleurs, un chat sans pattes du tout…

JEAN, *à Bérenger.*

J'ai promis d'y aller. Je tiens mes promesses.

LE VIEUX MONSIEUR, *au Logicien.*

… ne pourrait plus courir assez vite pour attraper les souris.

BÉRENGER, *à Jean.*

Ah ! mon cher, c'est à votre tour de donner le mauvais exemple ! Vous allez vous enivrer.

LE LOGICIEN, *au Vieux Monsieur.*

Vous faites déjà des progrès en logique !

> *On commence de nouveau à entendre, se rapprochant toujours très vite, un galop rapide, un barrissement, les bruits précipités des sabots d'un rhinocéros, son souffle bruyant, mais cette fois, en sens inverse, du fond de la scène vers le devant, toujours en coulisse, à gauche.*

JEAN, *furieux, à Bérenger.*

Mon cher ami, une fois n'est pas coutume. Aucun rapport avec vous. Car vous… vous… ce n'est pas la même chose…

BÉRENGER, *à Jean.*

Pourquoi ne serait-ce pas la même chose ?

JEAN, *criant pour dominer le bruit venant de la boutique.*

Je ne suis pas un ivrogne, moi !

LE LOGICIEN, *au Vieux Monsieur.*

Même sans pattes, le chat doit attraper les souris. C'est dans sa nature.

BÉRENGER, *criant très fort.*

Je ne veux pas dire que vous êtes un ivrogne. Mais pourquoi le serais-je, moi, plus que vous, dans un cas semblable?

LE VIEUX MONSIEUR, *criant au Logicien.*

Qu'est-ce qui est dans la nature du chat?

JEAN, *à Bérenger; même jeu.*

Parce que tout est affaire de mesure. Contrairement à vous, je suis un homme mesuré.

LE LOGICIEN, *au Vieux Monsieur, mains en cornet à l'oreille.*

Qu'est-ce que vous dites?

Grands bruits couvrant les paroles des quatre personnages.

BÉRENGER, *mains en cornet à l'oreille, à Jean.*

Tandis que moi, quoi, qu'est-ce que vous dites?

JEAN, *hurlant.*

Je dis que...

LE VIEUX MONSIEUR, *hurlant.*

Je dis que...

JEAN, *prenant conscience des bruits
qui sont très proches.*

Mais que se passe-t-il ?

LE LOGICIEN

Mais qu'est-ce que c'est ?

JEAN *se lève, fait tomber sa chaise en se
levant, regarde vers la coulisse gauche d'où
proviennent les bruits d'un rhinocéros
passant en sens inverse.*

Oh ! un rhinocéros !

LE LOGICIEN *se lève, fait tomber sa chaise.*

Oh ! un rhinocéros !

LE VIEUX MONSIEUR, *même jeu.*

Oh ! un rhinocéros !

BÉRENGER, *toujours assis, mais plus
réveillé cette fois.*

Rhinocéros ! En sens inverse.

LA SERVEUSE, *sortant avec un plateau
et des verres.*

Qu'est-ce que c'est ? Oh ! un rhinocéros !

*Elle laisse tomber le plateau ; les verres se
brisent.*

LE PATRON, *sortant de la boutique.*

Qu'est-ce que c'est ?

LA SERVEUSE, *au Patron.*

Un rhinocéros !

LE LOGICIEN

Un rhinocéros, à toute allure sur le trottoir d'en face !

L'ÉPICIER, *sortant de la boutique.*

Oh ! un rhinocéros !

JEAN

Oh ! un rhinocéros !

L'ÉPICIÈRE, *sortant la tête par la fenêtre,*
au-dessus de la boutique.

Oh ! un rhinocéros[1] !

LE PATRON, *à la Serveuse.*

Ce n'est pas une raison pour casser les verres.

JEAN

Il fonce droit devant lui, frôle les étalages.

DAISY, *venant de la gauche.*

Oh ! un rhinocéros !

BÉRENGER, *apercevant Daisy.*

Oh ! Daisy !

On entend des pas précipités qui fuient,
des oh ! des ah ! comme tout à l'heure.

LA SERVEUSE

Ça alors !

LE PATRON, *à la Serveuse.*

Vous me la payerez, la casse !

> *Bérenger essaie de se dissimuler, pour ne pas être vu par Daisy. Le Vieux Monsieur, le Logicien, l'Épicière, l'Épicier se dirigent vers le milieu du plateau et disent :*

ENSEMBLE

Ça alors !

JEAN *et* BÉRENGER

Ça alors !

> *On entend un miaulement déchirant, puis le cri, tout aussi déchirant, d'une femme.*

TOUS

Oh !

> *Presque au même instant, et tandis que les bruits s'éloignent rapidement, apparaît la Ménagère de tout à l'heure, sans son panier, mais tenant dans ses bras un chat tué et ensanglanté.*

LA MÉNAGÈRE, *se lamentant.*

Il a écrasé mon chat, il a écrasé mon chat !

LA SERVEUSE

Il a écrasé son chat !

L'Épicier, l'Épicière, à la fenêtre, le Vieux Monsieur, Daisy, le Logicien entourent la Ménagère, ils disent :

ENSEMBLE

Si c'est pas malheureux, pauvre petite bête !

LE VIEUX MONSIEUR

Pauvre petite bête !

DAISY *et* LA SERVEUSE

Pauvre petite bête !

L'ÉPICIER, L'ÉPICIÈRE, *à la fenêtre*, LE VIEUX MONSIEUR, LE LOGICIEN

Pauvre petite bête !

LE PATRON, *à la Serveuse, montrant les verres brisés, les chaises renversées.*

Que faites-vous donc ? Ramassez-moi cela !

À leur tour, Jean et Bérenger se précipitent, entourent la Ménagère qui se lamente toujours, le chat mort dans ses bras.

LA SERVEUSE, *se dirigeant vers la terrasse du café pour ramasser les débris de verres et les chaises renversées, tout en regardant en arrière, vers la Ménagère.*

Oh ! pauvre petite bête !

LE PATRON, *indiquant du doigt, à la Serveuse, les chaises et les verres brisés.*

Là, là !

LE VIEUX MONSIEUR, *à l'Épicier.*

Qu'est-ce que vous en dites ?

BÉRENGER, *à la Ménagère.*

Ne pleurez pas, Madame, vous nous fendez le cœur !

DAISY, *à Bérenger.*

Monsieur Bérenger... Vous étiez là ? Vous avez vu ?

BÉRENGER, *à Daisy.*

Bonjour, mademoiselle Daisy, je n'ai pas eu le temps de me raser, excusez-moi de...

LE PATRON, *contrôlant le ramassage des débris puis jetant un coup d'œil vers la Ménagère.*

Pauvre petite bête !

LA SERVEUSE, *ramassant les débris, le dos tourné à la Ménagère.*

Pauvre petite bête !

Évidemment, toutes ces répliques doivent être dites très rapidement, presque simultanément.

L'ÉPICIÈRE, *à la fenêtre.*

Ça, c'est trop fort !

JEAN

Ça, c'est trop fort !

LA MÉNAGÈRE, *se lamentant et berçant le
chat mort dans ses bras.*

Mon pauvre Mitsou, mon pauvre Mitsou !

LE VIEUX MONSIEUR, *à la Ménagère.*

J'aurais aimé vous revoir en d'autres circonstances !

LE LOGICIEN, *à la Ménagère.*

Que voulez-vous, Madame, tous les chats sont mortels ! Il faut se résigner.

LA MÉNAGÈRE, *se lamentant.*

Mon chat, mon chat, mon chat !

LE PATRON, *à la Serveuse, qui a le tablier
plein de brisures de verre.*

Allez, portez cela à la poubelle ! (*Il a relevé les chaises.*) Vous me devez mille francs !

LA SERVEUSE, *rentrant dans la boutique,
au Patron.*

Vous ne pensez qu'à vos sous.

L'ÉPICIÈRE, *à la Ménagère, de la fenêtre.*

Calmez-vous, Madame.

LE VIEUX MONSIEUR, *à la Ménagère.*

Calmez-vous, chère Madame.

L'ÉPICIÈRE, *de la fenêtre.*

Ça fait de la peine, quand même !

LA MÉNAGÈRE

Mon chat ! mon chat ! mon chat !

DAISY

Ah ! oui, ça fait de la peine quand même.

LE VIEUX MONSIEUR, *soutenant la
Ménagère et se dirigeant avec elle à une
table de la terrasse ; il est suivi de tous
les autres.*

Asseyez-vous là, Madame.

JEAN, *au Vieux Monsieur.*

Qu'est-ce que vous en dites ?

L'ÉPICIER, *au Logicien.*

Qu'est-ce que vous en dites ?

L'ÉPICIÈRE, *à Daisy, de la fenêtre.*

Qu'est-ce que vous en dites ?

LE PATRON, *à la Serveuse qui réapparaît,
tandis qu'on fait asseoir, à une des tables
de la terrasse, la Ménagère en larmes,
berçant toujours le chat mort.*

Un verre d'eau pour Madame.

LE VIEUX MONSIEUR, *à la Dame.*

Asseyez-vous, chère Madame !

JEAN

Pauvre femme !

L'ÉPICIÈRE, *de la fenêtre.*

Pauvre bête !

BÉRENGER, *à la Serveuse.*

Apportez-lui un cognac plutôt.

LE PATRON, *à la Serveuse.*

Un cognac ! (*Montrant Bérenger.*) C'est Monsieur qui paye !

> *La Serveuse entre dans la boutique en disant :*

LA SERVEUSE

Entendu, un cognac !

LA MÉNAGÈRE, *sanglotant.*

Je n'en veux pas, je n'en veux pas !

L'ÉPICIER

Il est déjà passé tout à l'heure devant la boutique.

JEAN, *à l'Épicier.*

Ça n'était pas le même !

L'ÉPICIER, *à Jean.*

Pourtant...

L'ÉPICIÈRE

Oh ! si, c'était le même.

DAISY

C'est la deuxième fois qu'il en passe ?

LE PATRON

Je crois que c'était le même.

JEAN

Non, ce n'était pas le même rhinocéros. Celui de tout à l'heure avait deux cornes sur le nez, c'était un rhinocéros d'Asie; celui-ci n'en avait qu'une, c'était un rhinocéros d'Afrique!

> *La Serveuse sort avec un verre de cognac, le porte à la Dame.*

LE VIEUX MONSIEUR

Voilà du cognac pour vous remonter.

LA MÉNAGÈRE, *en larmes.*

Noon…

BÉRENGER, *soudain énervé, à Jean.*

Vous dites des sottises!… Comment avez-vous pu distinguer les cornes! Le fauve est passé à une telle vitesse, à peine avons-nous pu l'apercevoir…

DAISY, *à la Ménagère.*

Mais si, ça vous fera du bien!

LE VIEUX MONSIEUR, *à Bérenger.*

En effet, il allait vite.

LE PATRON, *à la Ménagère.*

Goûtez-y, il est bon.

BÉRENGER, *à Jean.*

Vous n'avez pas eu le temps de compter ses cornes...

L'ÉPICIÈRE, *à la Serveuse, de sa fenêtre.*

Faites-la boire.

BÉRENGER, *à Jean.*

En plus, il était enveloppé d'un nuage de poussière...

DAISY, *à la Ménagère.*

Buvez, madame.

LE VIEUX MONSIEUR, *à la même.*

Un petit coup, ma chère petite Dame... courage...

> *La Serveuse fait boire la Ménagère, en portant le verre à ses lèvres; celle-ci fait mine de refuser, et boit quand même.*

LA SERVEUSE

Voilà !

L'ÉPICIÈRE, *de sa fenêtre, et* DAISY

Voilà !

JEAN, *à Bérenger.*

Moi, je ne suis pas dans le brouillard. Je calcule vite, j'ai l'esprit clair !

LE VIEUX MONSIEUR, *à la Ménagère.*

Ça va mieux?

BÉRENGER, *à Jean.*

Il fonçait tête baissée, voyons.

LE PATRON, *à la Ménagère.*

N'est-ce pas qu'il est bon!

JEAN, *à Bérenger.*

Justement, on voyait mieux.

LA MÉNAGÈRE, *après avoir bu.*

Mon chat!

BÉRENGER, *irrité, à Jean.*

Sottises! Sottises!

L'ÉPICIÈRE, *de sa fenêtre, à la Ménagère.*

J'ai un autre chat, pour vous.

JEAN, *à Bérenger.*

Moi? Vous osez prétendre que je dis des sottises?

LA MÉNAGÈRE, *à l'Épicière.*

Je n'en veux pas d'autre!

Elle sanglote, en berçant son chat.

BÉRENGER, *à Jean.*

Oui, parfaitement, des sottises.

LE PATRON, *à la Ménagère.*

Faites-vous une raison !

JEAN, *à Bérenger.*

Je ne dis jamais de sottises, moi !

LE VIEUX MONSIEUR, *à la Ménagère.*

Soyez philosophe !

BÉRENGER, *à Jean.*

Et vous n'êtes qu'un prétentieux ! (*Élevant la voix :*) Un pédant...

LE PATRON, *à Jean et à Bérenger.*

Messieurs, Messieurs !

BÉRENGER, *à Jean, continuant.*

... Un pédant, qui n'est pas sûr de ses connaissances, car, d'abord, c'est le rhinocéros d'Asie qui a une corne sur le nez, le rhinocéros d'Afrique, lui, en a deux...

> *Les autres personnages délaissent la Ménagère et vont entourer Jean et Bérenger qui discutent très fort.*

JEAN, *à Bérenger.*

Vous vous trompez, c'est le contraire !

LA MÉNAGÈRE, *seule.*

Il était si mignon !

BÉRENGER

Voulez-vous parier ?

LA SERVEUSE

Ils veulent parier !

DAISY, *à Bérenger.*

Ne vous énervez pas, monsieur Bérenger.

JEAN, *à Bérenger.*

Je ne parie pas avec vous. Les deux cornes, c'est vous qui les avez ! Espèce d'Asiatique[1] !

LA SERVEUSE

Oh !

L'ÉPICIÈRE, *de la fenêtre, à l'Épicier.*

Ils vont se battre.

L'ÉPICIER, *à l'Épicière.*

Penses-tu, c'est un pari !

LE PATRON, *à Jean et à Bérenger.*

Pas de scandale ici.

LE VIEUX MONSIEUR

Voyons… Quelle espèce de rhinocéros n'a qu'une corne sur le nez ? (*À l'Épicier.*) Vous qui êtes commerçant, vous devez savoir !

L'ÉPICIÈRE, *de la fenêtre, à l'Épicier.*

Tu devrais savoir !

BÉRENGER, *à Jean.*

Je n'ai pas de corne. Je n'en porterai jamais !

L'ÉPICIER, *au Vieux Monsieur.*

Les commerçants ne peuvent pas tout savoir !

JEAN, *à Bérenger.*

Si !

BÉRENGER, *à Jean.*

Je ne suis pas asiatique non plus. D'autre part, les Asiatiques sont des hommes comme tout le monde...

LA SERVEUSE

Oui, les Asiatiques sont des hommes comme vous et moi...

LE VIEUX MONSIEUR, *au Patron.*

C'est juste !

LE PATRON, *à la Serveuse.*

On ne vous demande pas votre avis !

DAISY, *au Patron.*

Elle a raison. Ce sont des hommes comme nous.

> *La Ménagère continue de se lamenter, pendant toute cette discussion.*

LA MÉNAGÈRE

Il était si doux, il était comme nous.

JEAN, *hors de lui.*

Ils sont jaunes !

> *Le Logicien, à l'écart, entre la Ménagère*
> *et le groupe qui s'est formé autour de Jean*
> *et de Bérenger, suit la controverse attentive-*
> *ment, sans y participer.*

JEAN

Adieu, Messieurs ! (*À Bérenger.*) Vous, je ne vous
salue pas !

LA MÉNAGÈRE, *même jeu.*

Il nous aimait tellement !

> *Elle sanglote.*

DAISY

Voyons, monsieur Bérenger, voyons, monsieur
Jean…

LE VIEUX MONSIEUR

J'ai eu des amis asiatiques. Peut-être n'étaient-
ils pas de vrais Asiatiques…

LE PATRON

J'en ai connu des vrais.

LA SERVEUSE, *à l'Épicière.*

J'ai eu un ami asiatique.

LA MÉNAGÈRE, *même jeu.*

Je l'ai eu tout petit !

JEAN, *toujours hors de lui.*

Ils sont jaunes ! jaunes ! très jaunes !

BÉRENGER, *à Jean.*

En tout cas, vous, vous êtes écarlate !

L'ÉPICIÈRE, *de la fenêtre, et* LA SERVEUSE

Oh !

LE PATRON

Ça tourne mal !

LA MÉNAGÈRE, *même jeu.*

Il était si propre ! Il faisait dans sa sciure !

JEAN, *à Bérenger.*

Puisque c'est comme ça, vous ne me verrez plus ! Je perds mon temps avec un imbécile de votre espèce.

LA MÉNAGÈRE, *même jeu.*

Il se faisait comprendre !

> *Jean sort vers la droite, très vite, furieux. Il se retourne toutefois avant de sortir pour de bon.*

LE VIEUX MONSIEUR, *à l'Épicier.*

Il y a aussi des Asiatiques blancs, noirs, bleus, d'autres comme nous.

JEAN, *à Bérenger.*

Ivrogne !

> *Tous le regardent consternés.*

BÉRENGER, *en direction de Jean.*

Je ne vous permets pas !

TOUS, *en direction de Jean.*

Oh !

LA MÉNAGÈRE, *même jeu.*

Il ne lui manquait que la parole. Même pas !

DAISY, *à Bérenger.*

Vous n'auriez pas dû le mettre en colère.

BÉRENGER, *à Daisy.*

Ce n'est pas ma faute…

LE PATRON, *à la Serveuse.*

Allez chercher un petit cercueil, pour cette pauvre bête…

LE VIEUX MONSIEUR, *à Bérenger.*

Je pense que vous avez raison. Le rhinocéros d'Asie a deux cornes, le rhinocéros d'Afrique en a une…

L'ÉPICIER

Monsieur soutenait le contraire.

DAISY, *à Bérenger.*

Vous avez tort tous les deux !

LE VIEUX MONSIEUR, *à Bérenger.*

Vous avez tout de même eu raison.

LA SERVEUSE, *à la Ménagère.*

Venez, Madame, on va le mettre en boîte.

LA MÉNAGÈRE, *sanglotant éperdument.*

Jamais ! jamais !

L'ÉPICIER

Je m'excuse ; moi, je pense que c'est monsieur Jean qui avait raison.

DAISY, *se tournant vers la Ménagère.*

Soyez raisonnable, Madame !

> *Daisy et la Serveuse entraînent la Ménagère, avec son chat mort, vers l'entrée du café.*

LE VIEUX MONSIEUR, *à Daisy et à la Serveuse.*

Voulez-vous que je vous accompagne ?

L'ÉPICIER

Le rhinocéros d'Asie a une corne, le rhinocéros d'Afrique, deux. Et vice versa.

DAISY, *au Vieux Monsieur.*

Ce n'est pas la peine.

> *Daisy et la Serveuse entrent dans le café, entraînant la Ménagère toujours inconsolée.*

L'ÉPICIÈRE, *à l'Épicier, de sa fenêtre.*

Oh ! toi, toujours des idées pas comme tout le monde !

BÉRENGER, *à part, tandis que les autres*
continuent de discuter au sujet des cornes
du rhinocéros.

Daisy a raison, je n'aurais pas dû le contredire.

LE PATRON, *à l'Épicière.*

Votre mari a raison, le rhinocéros d'Asie a deux
cornes, celui d'Afrique doit en avoir deux, et vice
versa.

BÉRENGER, *à part.*

Il ne supporte pas la contradiction. La moindre
objection le fait écumer.

LE VIEUX MONSIEUR, *au Patron.*

Vous faites erreur, mon ami.

LE PATRON, *au Vieux Monsieur.*

Je vous demande bien pardon!…

BÉRENGER, *à part.*

La colère est son seul défaut.

L'ÉPICIÈRE, *de sa fenêtre, au Vieux Mon-*
sieur, au Patron et à l'Épicier.

Peut-être sont-ils tous les deux pareils.

BÉRENGER, *à part.*

Dans le fond, il a un cœur d'or, il m'a rendu
d'innombrables services.

LE PATRON, *à l'Épicière.*

L'autre ne peut qu'en avoir une, si l'un en a deux.

LE VIEUX MONSIEUR

Peut-être c'est l'un qui en a une, c'est l'autre qui en a deux.

BÉRENGER, *à part.*

Je regrette de ne pas avoir été plus conciliant. Mais pourquoi s'entête-t-il ? Je ne voulais pas le pousser à bout. (*Aux autres.*) Il soutient toujours des énormités ! Il veut toujours épater tout le monde par son savoir. Il n'admet jamais qu'il pourrait se tromper.

LE VIEUX MONSIEUR, *à Bérenger.*

Avez-vous des preuves ?

BÉRENGER

À quel sujet ?

LE VIEUX MONSIEUR

Votre affirmation de tout à l'heure qui a provoqué votre fâcheuse controverse avec votre ami.

L'ÉPICIER, *à Bérenger.*

Oui, avez-vous des preuves ?

LE VIEUX MONSIEUR, *à Bérenger.*

Comment savez-vous que l'un des deux rhinocéros a deux cornes et l'autre une ? Et lequel ?

L'ÉPICIÈRE

Il ne le sait pas plus que nous.

BÉRENGER

D'abord, on ne sait pas s'il y en a eu deux. Je crois même qu'il n'y a eu qu'un rhinocéros.

LE PATRON

Admettons qu'il y en ait eu deux. Qui est unicorne, le rhinocéros d'Asie?

LE VIEUX MONSIEUR

Non. C'est le rhinocéros d'Afrique qui est bicornu. Je le crois.

LE PATRON

Qui est bicornu?

L'ÉPICIER

Ce n'est pas celui d'Afrique.

L'ÉPICIÈRE

Il n'est pas facile de se mettre d'accord.

LE VIEUX MONSIEUR

Il faut tout de même élucider ce problème.

LE LOGICIEN, *sortant de sa réserve.*

Messieurs, excusez-moi d'intervenir. Là n'est pas la question. Permettez-moi de me présenter...

LA MÉNAGÈRE, *en larmes.*

C'est un Logicien!

LE PATRON

Oh ! il est Logicien !

LE VIEUX MONSIEUR, *présentant le Logicien*
à Bérenger.

Mon ami, le Logicien !

BÉRENGER

Enchanté, Monsieur.

LE LOGICIEN, *continuant.*

... Logicien professionnel : voici ma carte
d'identité.

Il montre sa carte.

BÉRENGER

Très honoré, Monsieur.

L'ÉPICIER

Nous sommes très honorés.

LE PATRON

Voulez-vous nous dire alors, monsieur le Logicien, si le rhinocéros africain est unicornu...

LE VIEUX MONSIEUR

Ou bicornu...

L'ÉPICIÈRE

Et si le rhinocéros asiatique est bicornu.

L'ÉPICIER

Ou bien unicornu.

LE LOGICIEN

Justement, là n'est pas la question. C'est ce que je me dois de préciser.

L'ÉPICIER

C'est pourtant ce qu'on aurait voulu savoir.

LE LOGICIEN

Laissez-moi parler, Messieurs.

LE VIEUX MONSIEUR

Laissons-le parler.

L'ÉPICIÈRE, *à l'Épicier, de la fenêtre*.

Laisse-le donc parler.

LE PATRON

On vous écoute, Monsieur.

LE LOGICIEN, *à Bérenger*.

C'est à vous, surtout, que je m'adresse. Aux autres personnes présentes aussi.

L'ÉPICIER

À nous aussi…

LE LOGICIEN

Voyez-vous, le débat portait tout d'abord sur un problème dont vous vous êtes malgré vous écarté. Vous vous demandiez, au départ, si le rhinocéros qui vient de passer est bien celui de tout à l'heure, ou si c'en est un autre. C'est à cela qu'il faut répondre.

BÉRENGER

De quelle façon ?

LE LOGICIEN

Voici : vous pouvez avoir vu deux fois un même rhinocéros portant une seule corne...

L'ÉPICIER, *répétant, comme pour mieux comprendre.*

Deux fois le même rhinocéros.

LE PATRON, *même jeu.*

Portant une seule corne...

LE LOGICIEN, *continuant.*

... Comme vous pouvez avoir vu deux fois un même rhinocéros à deux cornes.

LE VIEUX MONSIEUR, *répétant.*

Un seul rhinocéros à deux cornes, deux fois...

LE LOGICIEN

C'est cela. Vous pouvez encore avoir vu un premier rhinocéros à une corne, puis un autre, ayant également une seule corne.

L'ÉPICIÈRE, *de la fenêtre.*

Ha, ha...

LE LOGICIEN

Et aussi un premier rhinocéros à deux cornes, puis un second rhinocéros à deux cornes.

LE PATRON

C'est exact.

LE LOGICIEN

Maintenant : si vous aviez vu…

L'ÉPICIER

Si nous avions vu…

LE VIEUX MONSIEUR

Oui, si nous avions vu…

LE LOGICIEN

Si vous aviez vu la première fois un rhinocéros à deux cornes…

LE PATRON

À deux cornes…

LE LOGICIEN

… La seconde fois un rhinocéros à une corne…

L'ÉPICIER

À une corne.

LE LOGICIEN

… Cela ne serait pas concluant non plus.

LE VIEUX MONSIEUR

Tout cela ne serait pas concluant.

LE PATRON

Pourquoi ?

L'ÉPICIÈRE

Ah ! là, là… J'y comprends rien.

L'ÉPICIER

Ouais ! ouais !

> *L'Épicière, haussant les épaules, disparaît de sa fenêtre.*

LE LOGICIEN

En effet, il se peut que depuis tout à l'heure le rhinocéros ait perdu une de ses cornes, et que celui de tout de suite soit celui de tout à l'heure.

BÉRENGER

Je comprends, mais…

LE VIEUX MONSIEUR, *interrompant Bérenger.*

N'interrompez pas.

LE LOGICIEN

Il se peut aussi que deux rhinocéros à deux cornes aient perdu tous les deux une de leurs cornes.

LE VIEUX MONSIEUR

C'est possible.

LE PATRON

Oui, c'est possible.

L'ÉPICIER

Pourquoi pas !

BÉRENGER

Oui, toutefois…

LE VIEUX MONSIEUR, *à Bérenger.*

N'interrompez pas.

LE LOGICIEN

Si vous pouviez prouver avoir vu la première fois un rhinocéros à une corne, qu'il fût asiatique ou africain…

LE VIEUX MONSIEUR

Asiatique ou africain…

LE LOGICIEN

… La seconde fois, un rhinocéros à deux cornes…

LE VIEUX MONSIEUR

À deux cornes !

LE LOGICIEN

… qu'il fût, peu importe, africain ou asiatique…

L'ÉPICIER

Africain ou asiatique…

LE LOGICIEN, *continuant la démonstration.*

… À ce moment-là, nous pourrions conclure que nous avons affaire à deux rhinocéros différents, car il est peu probable qu'une deuxième corne puisse pousser en quelques minutes, de façon visible, sur le nez d'un rhinocéros…

LE VIEUX MONSIEUR

C'est peu probable.

LE LOGICIEN, *enchanté
de son raisonnement.*

... Cela ferait d'un rhinocéros asiatique ou africain...

LE VIEUX MONSIEUR

Asiatique ou africain.

LE LOGICIEN

... Un rhinocéros africain ou asiatique.

LE PATRON

Africain ou asiatique.

L'ÉPICIER

Ouais, ouais.

LE LOGICIEN

... Or, cela n'est pas possible en bonne logique, une même créature ne pouvant être née en deux lieux à la fois...

LE VIEUX MONSIEUR

Ni même successivement.

LE LOGICIEN, *au Vieux Monsieur.*

C'est ce qui est à démontrer.

BÉRENGER, *au Logicien.*

Cela me semble clair, mais cela ne résout pas la question.

LE LOGICIEN, *à Bérenger, en souriant d'un*
air compétent.

Évidemment, cher Monsieur, seulement, de cette façon, le problème est posé de façon correcte.

LE VIEUX MONSIEUR

C'est tout à fait logique.

LE LOGICIEN, *soulevant son chapeau.*

Au revoir, Messieurs.

Il se retourne et sortira par la gauche,
suivi du Vieux Monsieur.

LE VIEUX MONSIEUR

Au revoir, Messieurs.

Il soulève son chapeau et sort à la suite
du Logicien.

L'ÉPICIER

C'est peut-être logique...

À ce moment, du café, la Ménagère, en
grand deuil, sort, tenant une boîte, elle est
suivie par Daisy et la Serveuse, comme pour
un enterrement. Le cortège se dirige vers la
sortie à droite.

L'ÉPICIER, *continuant.*

... C'est peut-être logique, cependant pouvons-nous admettre que nos chats soient écrasés sous nos yeux par des rhinocéros à une corne, ou à deux cornes, qu'ils soient asiatiques, ou qu'ils soient africains ?

> *Il montre, d'un geste théâtral, le cortège qui est en train de sortir.*

LE PATRON

Il a raison, c'est juste ! Nous ne pouvons pas permettre que nos chats soient écrasés par des rhinocéros, ou par n'importe quoi !

L'ÉPICIER

Nous ne pouvons pas le permettre !

> L'ÉPICIÈRE, *sortant sa tête, par la porte de la boutique, à l'Épicier.*

Alors, rentre ! Les clients vont venir !

> L'ÉPICIER, *se dirigeant vers la boutique.*

Non, nous ne pouvons pas le permettre !

BÉRENGER

Je n'aurais pas dû me quereller avec Jean ! (*Au Patron.*) Apportez-moi un verre de cognac ! un grand !

LE PATRON

Je vous l'apporte !

> *Il va chercher le verre de cognac dans le café.*

BÉRENGER, *seul.*

Je n'aurais pas dû, je n'aurais pas dû me mettre

en colère ! (*Le Patron sort, un grand verre de cognac à la main.*) J'ai le cœur trop gros pour aller au musée. Je cultiverai mon esprit une autre fois.

        Il prend le verre de cognac, le boit.

RIDEAU

ACTE II

PREMIER TABLEAU

Décor

Le bureau d'une administration, ou d'une entreprise privée, une grande maison de publications juridiques[1] *par exemple. Au fond, au milieu, une grande porte à deux battants, au-dessus de laquelle un écriteau indique :* Chef de service. *À gauche au fond, près de la porte du Chef, la petite table de Daisy, avec une machine à écrire. Contre le mur de gauche, entre une porte donnant sur l'escalier et la petite table de Daisy, une autre table sur laquelle on met des feuilles de présence, que les employés doivent signer en arrivant. Puis, à gauche, toujours au premier plan, la porte donnant sur l'escalier. On voit les dernières marches de cet escalier, le haut de la rampe, un petit palier. Au premier plan, une table avec deux chaises. Sur la table : des épreuves d'imprimerie, un encrier, des porte-plume ; c'est la table où travaillent Botard et Bérenger ; ce dernier s'assoira sur la chaise de gauche, le premier sur celle de droite. Près du mur de droite, une autre table, plus grande, rectangulaire, également recouverte de papiers, d'épreuves d'imprimerie, etc. Deux chaises encore près de cette table (plus*

*belles, plus «importantes») se font vis-à-vis. C'est la
table de Dudard et de M. Bœuf. Dudard s'assoira sur
la chaise qui est contre le mur, ayant les autres employés
en face de lui. Il fait fonction de sous-chef. Entre la porte
du fond et le mur de droite, une fenêtre. Dans le cas où
le théâtre aurait une fosse d'orchestre, il serait préférable
de ne mettre que le simple encadrement d'une fenêtre, au
tout premier plan, face au public. Dans le coin de droite,
au fond, un portemanteau, sur lequel sont accrochés des
blouses grises ou de vieux vestons. Éventuellement, le
portemanteau pourrait être placé lui aussi sur le devant
de la scène, tout près du mur de droite.*

*Contre les murs, des rangées de livres et de dossiers
poussiéreux. Sur le fond, à gauche, au-dessus des rayons,
il y a des écriteaux :* Jurisprudence, Codes; *sur le
mur de droite, qui peut être légèrement oblique, les écriteaux indiquent :* Le Journal officiel, Lois fiscales.
*Au-dessus de la porte du Chef de service, une horloge
indique : 9 heures 3 minutes.*

*Au lever du rideau, Dudard, debout, près de la chaise
de son bureau, profil droit à la salle; de l'autre côté du
bureau, profil gauche à la salle, Botard; entre eux, près
du bureau également, face au public, le Chef de service;
Daisy, un peu en retrait près du Chef de service, à sa
gauche. Elle a, dans la main, des feuilles de papier dactylographiées. Sur la table, entourée par les trois personnages, par-dessus les épreuves d'imprimerie, un grand
journal ouvert est étalé.*

*Au lever du rideau, pendant quelques secondes, les
personnages restent immobiles, dans la position où sera
dite la première réplique. Cela doit faire tableau vivant.
Au début du premier acte, il en aura été de même.*

Le Chef de service, une cinquantaine d'années, vêtu

correctement : complet bleu marine, rosette de la Légion d'honneur, faux col amidonné, cravate noire, grosse moustache brune. Il s'appelle : M. Papillon.

Dudard : *trente-cinq ans. Complet gris; il a des manches de lustrine noire pour préserver son veston. Il peut porter des lunettes. Il est assez grand, employé (cadre) d'avenir. Si le chef devenait sous-directeur, c'est lui qui prendrait sa place; Botard ne l'aime pas.*

Botard : *instituteur retraité; l'air fier, petite moustache blanche; il a une soixantaine d'années qu'il porte vertement.* (Il sait tout, comprend tout.) *Il a un béret basque sur la tête; il est revêtu d'une longue blouse grise pour le travail, il a des lunettes sur un nez assez fort; un crayon à l'oreille; des manches, également de lustrine.*

Daisy : *jeune, blonde.*

Plus tard, Mme Bœuf : *une grosse femme de quarante à cinquante ans, éplorée, essoufflée.*

Les personnages sont donc debout au lever du rideau, immobiles autour de la table de droite; le Chef a la main et l'index tendus vers le journal. Dudard, la main tendue en direction de Botard, a l'air de lui dire : «Vous voyez bien pourtant!» *Botard, les mains dans les poches de sa blouse, un sourire incrédule sur les lèvres, l'air de dire :* «On ne me la fait pas.» *Daisy, ses feuilles dactylographiées à la main, a l'air d'appuyer du regard Dudard. Au bout de quelques brèves secondes, Botard attaque.*

BOTARD

Des histoires, des histoires à dormir debout.

DAISY

Je l'ai vu, j'ai vu le rhinocéros !

DUDARD

C'est écrit sur le journal, c'est clair, vous ne pouvez le nier.

BOTARD, *de l'air du plus profond mépris.*

Pfff !

DUDARD

C'est écrit, puisque c'est écrit ; tenez, à la rubrique des chats écrasés ! Lisez donc la nouvelle, monsieur le Chef[1] !

MONSIEUR PAPILLON

« Hier, dimanche, dans notre ville, sur la place de l'Église, à l'heure de l'apéritif, un chat a été foulé aux pieds par un pachyderme. »

DAISY

Ce n'était pas exactement sur la place de l'Église !

MONSIEUR PAPILLON

C'est tout. On ne donne pas d'autres détails.

BOTARD

Pfff !

DUDARD

Cela suffit, c'est clair.

BOTARD

Je ne crois pas les journalistes. Les journalistes sont tous des menteurs, je sais à quoi m'en tenir, je ne crois que ce que je vois, de mes propres yeux. En tant qu'ancien instituteur, j'aime la chose précise, scientifiquement prouvée, je suis un esprit méthodique, exact.

DUDARD

Que vient faire ici l'esprit méthodique ?

DAISY, *à Botard.*

Je trouve, monsieur Botard, que la nouvelle est très précise.

BOTARD

Vous appelez cela de la précision ? Voyons. De quel pachyderme s'agit-il ? Qu'est-ce que le rédacteur de la rubrique des chats écrasés entend-il par un pachyderme ? Il ne nous le dit pas. Et qu'entend-il par chat ?

DUDARD

Tout le monde sait ce qu'est un chat.

BOTARD

Est-ce d'un chat, ou est-ce d'une chatte qu'il s'agit ? Et de quelle couleur ? De quelle race ? Je ne suis pas raciste, je suis même antiraciste.

MONSIEUR PAPILLON

Voyons, monsieur Botard, il ne s'agit pas de cela, que vient faire ici le racisme ?

BOTARD

Monsieur le Chef, je vous demande bien pardon. Vous ne pouvez nier que le racisme est une des grandes erreurs du siècle.

DUDARD

Bien sûr, nous sommes tous d'accord, mais il ne s'agit pas là de...

BOTARD

Monsieur Dudard, on ne traite pas cela à la légère. Les événements historiques nous ont bien prouvé que le racisme...

DUDARD

Je vous dis qu'il ne s'agit pas de cela.

BOTARD

On ne le dirait pas.

MONSIEUR PAPILLON

Le racisme n'est pas en question.

BOTARD

On ne doit perdre aucune occasion de le dénoncer.

DAISY

Puisqu'on vous dit que personne n'est raciste. Vous déplacez la question, il s'agit tout simplement d'un chat écrasé par un pachyderme : un rhinocéros en l'occurrence.

BOTARD

Je ne suis pas du Midi, moi. Les Méridionaux ont trop d'imagination. C'était peut-être tout simplement une puce écrasée par une souris. On en fait une montagne.

MONSIEUR PAPILLON, *à Dudard.*

Essayons donc de mettre les choses au point. Vous auriez donc vu, de vos yeux vu, le rhinocéros se promener en flânant dans les rues de la ville?

DAISY

Il ne flânait pas, il courait.

DUDARD

Personnellement, moi, je ne l'ai pas vu. Cependant, des gens dignes de foi...

BOTARD, *l'interrompant.*

Vous voyez bien que ce sont des racontars, vous vous fiez à des journalistes qui ne savent quoi inventer pour faire vendre leurs méprisables journaux, pour servir leurs patrons, dont ils sont les domestiques! Vous croyez cela, monsieur Dudard, vous, un juriste, un licencié en droit. Permettez-moi de rire! Ah! ah! ah!

DAISY

Mais moi, je l'ai vu, j'ai vu le rhinocéros. J'en mets ma main au feu.

BOTARD

Allons donc! Je vous croyais une fille sérieuse.

DAISY

Monsieur Botard, je n'ai pas la berlue! Et je n'étais pas seule, il y avait des gens autour de moi qui regardaient.

BOTARD

Pfff! Ils regardaient sans doute autre chose!… Des flâneurs, des gens qui n'ont rien à faire, qui ne travaillent pas, des oisifs.

DUDARD

C'était hier, c'était dimanche.

BOTARD

Moi, je travaille aussi le dimanche. Je n'écoute pas les curés qui vous font venir à l'église pour vous empêcher de faire votre boulot, et de gagner votre pain à la sueur de votre front.

MONSIEUR PAPILLON, *indigné.*

Oh!

BOTARD

Excusez-moi, je ne voudrais pas vous vexer. Ce n'est pas parce que je méprise les religions qu'on peut dire que je ne les estime pas. (*À Daisy.*) D'abord, savez-vous ce que c'est qu'un rhinocéros?

DAISY

C'est un… c'est un très gros animal, vilain!

BOTARD

Et vous vous vantez d'avoir une pensée précise! Le rhinocéros, Mademoiselle…

MONSIEUR PAPILLON

Vous n'allez pas nous faire un cours sur le rhinocéros, ici. Nous ne sommes pas à l'école.

BOTARD

C'est bien dommage.

> *Depuis les dernières répliques, on a pu voir
> Bérenger monter avec précaution les dernières
> marches de l'escalier; entrouvrir prudem-
> ment la porte du bureau qui, en s'écartant,
> laisse voir la pancarte sur laquelle on peut
> lire :* «Éditions de Droit.»

MONSIEUR PAPILLON, *à Daisy.*

Bon! Il est plus de neuf heures, Mademoiselle,
enlevez-moi la feuille de présence. Tant pis pour
les retardataires!

> *Daisy se dirige vers la petite table, à
> gauche, où se trouve la feuille de présence,
> au moment où entre Bérenger.*

BÉRENGER, *entrant, tandis que les autres
continuent de discuter; à Daisy.*

Bonjour, mademoiselle Daisy. Je ne suis pas en
retard?

BOTARD, *à Dudard et à M. Papillon.*

Je lutte contre l'ignorance, où je la trouve!

DAISY, *à Bérenger.*

Monsieur Bérenger, dépêchez-vous!

BOTARD

… Dans les palais, dans les chaumières!

DAISY, *à Bérenger.*

Signez vite la feuille de présence!

BÉRENGER

Oh! merci! Le Chef est déjà arrivé?

DAISY, *à Bérenger; un doigt sur les lèvres.*

Chut! oui, il est là.

BÉRENGER

Déjà? Si tôt?

> *Il se précipite pour aller signer la feuille de présence.*

BOTARD, *continuant.*

N'importe où! Même dans les maisons d'édition.

MONSIEUR PAPILLON, *à Botard.*

Monsieur Botard, je crois que…

BÉRENGER, *signant la feuille; à Daisy.*

Pourtant, il n'est pas neuf heures dix…

MONSIEUR PAPILLON, *à Botard.*

Je crois que vous dépassez les limites de la politesse.

DUDARD, *à M. Papillon.*

Je le pense aussi, Monsieur.

MONSIEUR PAPILLON, *à Botard.*

Vous n'allez pas dire que mon collaborateur et votre collègue, monsieur Dudard, qui est licencié en droit, excellent employé, est un ignorant.

BOTARD

Je n'irai pas jusqu'à affirmer une pareille chose, toutefois les Facultés, l'Université, cela ne vaut pas l'école communale.

MONSIEUR PAPILLON, *à Daisy.*

Alors, cette feuille de présence !

DAISY, *à M. Papillon.*

La voici, Monsieur.

Elle la lui tend.

MONSIEUR PAPILLON, *à Bérenger.*

Tiens, voilà monsieur Bérenger !

BOTARD, *à Dudard.*

Ce qui manque aux universitaires, ce sont les idées claires, l'esprit d'observation, le sens pratique.

DUDARD, *à Botard.*

Allons donc !

BÉRENGER, *à M. Papillon.*

Bonjour, monsieur Papillon. (*Bérenger justement se dirigeait derrière le dos du chef, contournant le groupe des trois personnages, vers le portemanteau ; il y prendra*

*sa blouse de travail, ou son veston usé, en y accrochant
à la place son veston de ville; maintenant, près du portemanteau, ôtant son veston, mettant l'autre veston, puis
allant à sa table de travail, dans le tiroir de laquelle il
trouvera ses manches de lustrine noire, etc., il salue.)*
Bonjour, monsieur Papillon! excusez-moi, j'ai
failli être en retard. Bonjour, Dudard! Bonjour,
monsieur Botard.

MONSIEUR PAPILLON

Dites donc, Bérenger, vous aussi vous avez vu
des rhinocéros?

BOTARD, *à Dudard.*

Les universitaires sont des esprits abstraits qui
ne connaissent rien à la vie.

DUDARD, *à Botard.*

Sottises!

BÉRENGER, *continuant de ranger
ses affaires pour le travail, avec un
empressement excessif, comme pour faire
excuser son retard; à M. Papillon, d'un
ton naturel.*

Mais oui, bien sûr, je l'ai vu!

BOTARD, *se retournant.*

Pfff!

DAISY

Ah! vous voyez, je ne suis pas folle.

BOTARD, *ironique.*

Oh! M. Bérenger dit cela par galanterie, car c'est un galant, bien qu'il n'en ait pas l'air.

DUDARD

C'est de la galanterie de dire qu'on a vu un rhinocéros?

BOTARD

Certainement. Quand c'est pour appuyer les affirmations de Mlle Daisy. Tout le monde est galant avec Mlle Daisy, c'est compréhensible.

MONSIEUR PAPILLON

Ne soyez pas de mauvaise foi, monsieur Botard, M. Bérenger n'a pas pris part à la controverse. Il vient à peine d'arriver.

BÉRENGER, *à Daisy.*

N'est-ce pas que vous l'avez vu? Nous avons vu.

BOTARD

Pfff! Il est possible que M. Bérenger ait cru apercevoir un rhinocéros. (*Il fait derrière le dos de Bérenger le signe que Bérenger boit!*) Il a tellement d'imagination! Avec lui, tout est possible.

BÉRENGER

Je n'étais pas seul, quand j'ai vu le rhinocéros! ou peut-être les deux rhinocéros.

BOTARD

Il ne sait même pas combien il en a vu!

BÉRENGER

J'étais à côté de mon ami Jean !... Il y avait d'autre gens.

BOTARD, *à Bérenger.*

Vous bafouillez, ma parole.

DAISY

C'était un rhinocéros unicorne.

BOTARD

Pfff ! Ils sont de mèche tous les deux pour se payer notre tête !

DUDARD, *à Daisy.*

Je crois plutôt qu'il avait deux cornes, d'après ce que j'ai entendu dire !

BOTARD

Alors là, il faudrait s'entendre.

MONSIEUR PAPILLON, *regardant l'heure.*

Finissons-en, Messieurs, l'heure avance.

BOTARD

Vous avez vu, vous, monsieur Bérenger, un rhinocéros, ou deux rhinocéros ?

BÉRENGER

Euh ! c'est-à-dire...

BOTARD

Vous ne savez pas. Mlle Daisy a vu un rhinocéros unicorne. Votre rhinocéros à vous, monsieur

Bérenger, si rhinocéros il y a, était-il unicorne, ou bicornu ?

BÉRENGER

Voyez-vous, tout le problème est là justement.

BOTARD

C'est bien vaseux tout cela.

DAISY

Oh !

BOTARD

Je ne voudrais pas vous vexer. Mais je n'y crois pas à votre histoire ! Des rhinocéros, dans le pays, cela ne s'est jamais vu !

DUDARD

Il suffit d'une fois !

BOTARD

Cela ne s'est jamais vu ! Sauf sur les images, dans les manuels scolaires. Vos rhinocéros n'ont fleuri que dans les cervelles des bonnes femmes.

BÉRENGER

L'expression « fleurir », appliquée à des rhinocéros, me semble assez impropre.

DUDARD

C'est juste.

BOTARD, *continuant.*

Votre rhinocéros est un mythe !

DAISY

Un mythe?

MONSIEUR PAPILLON

Messieurs, je crois qu'il est l'heure de se mettre au travail.

BOTARD, *à Daisy.*

Un mythe, tout comme les soucoupes volantes!

DUDARD

Il y a tout de même eu un chat écrasé, c'est indéniable!

BÉRENGER

J'en témoigne.

DUDARD, *montrant Bérenger.*

Et des témoins!

BOTARD

Un témoin pareil!

MONSIEUR PAPILLON

Messieurs, messieurs!

BOTARD, *à Dudard.*

Psychose collective, monsieur Dudard, psychose collective! C'est comme la religion qui est l'opium des peuples!

DAISY

Eh bien, j'y crois, moi, aux soucoupes volantes!

BOTARD

Pfff !

MONSIEUR PAPILLON, *avec fermeté.*

Ça va comme ça, on exagère. Assez de bavardages ! Rhinocéros ou non, soucoupes volantes ou non, il faut que le travail soit fait ! La maison ne vous paye pas pour perdre votre temps à vous entretenir d'animaux réels ou fabuleux !

BOTARD

Fabuleux !

DUDARD

Réels !

DAISY

Très réels.

MONSIEUR PAPILLON

Messieurs, j'attire encore une fois votre attention : vous êtes dans vos heures de travail. Permettez-moi de couper court à cette polémique stérile…

BOTARD, *blessé, ironique.*

D'accord, monsieur Papillon. Vous êtes le chef. Puisque vous l'ordonnez, nous devons obéir.

MONSIEUR PAPILLON

Messieurs, dépêchez-vous. Je ne veux pas être dans la triste obligation de vous retenir une amende sur vos traitements ! Monsieur Dudard, où en est votre commentaire de la loi sur la répression antialcoolique ?

DUDARD

Je mets cela au point, monsieur le Chef.

MONSIEUR PAPILLON

Tâchez de terminer. C'est pressé. Vous, monsieur Bérenger et monsieur Botard, avez-vous fini de corriger les épreuves de la réglementation des vins dits « d'appellation contrôlée » ?

BÉRENGER

Pas encore, monsieur Papillon. Mais c'est bien entamé.

MONSIEUR PAPILLON

Finissez de les corriger ensemble. L'imprimerie attend. Vous, Mademoiselle, vous viendrez me faire signer le courrier dans mon bureau. Dépêchez-vous de le taper.

DAISY

C'est entendu, monsieur Papillon.

> *Daisy va à son petit bureau et tape à la machine. Dudard s'assoit à son bureau et commence à travailler. Bérenger et Botard à leurs petites tables, tous deux de profil à la salle ; Botard, de dos à la porte de l'escalier. Botard a l'air de mauvaise humeur ; Bérenger est passif et vaseux ; Bérenger installe les épreuves sur la table, passe le manuscrit à Botard ; Botard s'assoit en bougonnant,*

tandis que M. Papillon sort en claquant la
porte.

MONSIEUR PAPILLON

À tout à l'heure, Messieurs !

Il sort.

BÉRENGER, *lisant et corrigeant, tandis que*
Botard suit sur le manuscrit, avec un
crayon.

Réglementation des crus d'origine dits «d'appellation»… (*Il corrige.*) Avec deux L, appellation.
(*Il corrige.*) Contrôlée… un L, contrôlée… Les
vins d'appellation contrôlée de la région borde-
laise, région inférieure des coteaux supérieurs…

BOTARD, *à Bérenger.*

Je n'ai pas ça ! Une ligne de sautée.

BÉRENGER

Je reprends : les vins d'appellation contrôlée…

DUDARD, *à Bérenger et à Botard.*

Lisez moins fort, je vous prie. On n'entend que
vous, vous m'empêchez de fixer mon attention
sur mon travail.

BOTARD, *à Dudard par-dessus la tête de*
Bérenger, reprenant la discussion de tout à
l'heure ; tandis que Bérenger, pendant
quelques instants, corrige tout seul ; il fait
bouger ses lèvres sans bruit, tout en lisant.

C'est une mystification !

DUDARD

Qu'est-ce qui est une mystification ?

BOTARD

Votre histoire de rhinocéros, pardi ! C'est votre propagande qui fait courir ces bruits !

DUDARD, *s'interrompant dans son travail.*

Quelle propagande ?

BÉRENGER, *intervenant.*

Ce n'est pas de la propagande…

DAISY, *s'interrompant de taper.*

Puisque je vous répète que j'ai vu… j'ai vu… on a vu.

DUDARD, *à Botard.*

Vous me faites rire !… De la propagande ! Dans quel but ?

BOTARD, *à Dudard.*

Allons donc !… Vous le savez mieux que moi. Ne faites pas l'innocent.

DUDARD, *se fâchant.*

En tout cas, monsieur Botard, moi je ne suis pas payé par les Ponténégrins[1].

BOTARD, *rouge de colère, tapant du poing*
sur la table.

C'est une insulte. Je ne permettrai pas…

M. Botard se lève.

BÉRENGER, *suppliant.*

Monsieur Botard, voyons…

DAISY

Monsieur Dudard, voyons…

BOTARD

Je dis que c'est une insulte…

> *La porte du cabinet du Chef s'ouvre sou-*
> *dain : Botard et Dudard se rassoient très*
> *vite; le Chef de Service a en main la feuille*
> *de présence; à son apparition, le silence*
> *s'était fait subitement.*

MONSIEUR PAPILLON

M. Bœuf n'est pas venu aujourd'hui ?

BÉRENGER, *regardant autour de lui.*

En effet, il est absent.

MONSIEUR PAPILLON

Justement, j'avais besoin de lui ! (*À Daisy.*) A-t-il
annoncé qu'il était malade, ou qu'il était empê-
ché ?

DAISY

Il ne m'a rien dit.

MONSIEUR PAPILLON, *ouvrant tout à fait sa*
porte, et entrant.

Si ça continue, je vais le mettre à la porte. Ce
n'est pas la première fois qu'il me fait le coup.

Jusqu'à présent, j'ai fermé les yeux, mais ça n'ira plus... Quelqu'un d'entre vous a-t-il la clé de son secrétaire ?

> *Juste à ce moment, Mme Bœuf fait son entrée. On avait pu la voir, pendant cette dernière réplique, monter le plus vite qu'elle pouvait les dernières marches de l'escalier, elle a ouvert brusquement la porte. Elle est tout essoufflée, effrayée.*

BÉRENGER

Tiens, voici Mme Bœuf.

DAISY

Bonjour, madame Bœuf.

MADAME BŒUF

Bonjour, monsieur Papillon ! Bonjour, Messieurs Dames.

MONSIEUR PAPILLON

Alors, et votre mari ? Qu'est-ce qu'il lui est arrivé, il ne veut plus se déranger ?

MADAME BŒUF, *haletante*.

Je vous prie de l'excuser, excusez mon mari... Il est parti dans sa famille pour le week-end. Il a une légère grippe.

MONSIEUR PAPILLON

Ah ! il a une légère grippe !

MADAME BŒUF, *tendant un papier
au Chef.*

Tenez, il le dit dans son télégramme. Il espère être de retour mercredi... (*Presque défaillante.*) Donnez-moi un verre d'eau... et une chaise...

> *Bérenger vient lui apporter, au milieu du plateau, sa propre chaise sur laquelle elle s'écroule.*

MONSIEUR PAPILLON, *à Daisy.*

Donnez-lui un verre d'eau.

DAISY

Tout de suite !

> *Elle va lui apporter un verre d'eau, la faire boire, pendant les quelques répliques qui suivent.*

DUDARD, *au Chef.*

Elle doit être cardiaque.

MONSIEUR PAPILLON

C'est bien ennuyeux que M. Bœuf soit absent. Mais ce n'est pas une raison pour vous affoler !

MADAME BŒUF, *avec peine.*

C'est que... c'est que... j'ai été poursuivie par un rhinocéros depuis la maison jusqu'ici...

BÉRENGER

Unicorne, ou à deux cornes ?

BOTARD, *s'esclaffant.*

Vous me faites rigoler !

DUDARD, *s'indignant.*

Laissez-la donc parler !

MADAME BŒUF, *faisant un grand effort*
pour préciser et montrant du doigt
en direction de l'escalier.

Il est là, en bas, à l'entrée. Il a l'air de vouloir
monter l'escalier.

> *Au même instant, un bruit se fait*
> *entendre. On voit les marches de l'escalier*
> *qui s'effondrent sous un poids sans doute*
> *formidable. On entend, venant d'en bas,*
> *des barrissements angoissés. La poussière,*
> *provoquée par l'effondrement de l'escalier,*
> *en se dissipant laissera voir le palier de l'es-*
> *calier suspendu dans le vide.*

DAISY

Mon Dieu !...

MADAME BŒUF, *sur sa chaise, la main*
sur le cœur.

Oh ! Ah !

> *Bérenger s'empresse autour de Mme Bœuf,*
> *tapote ses joues, lui donne à boire.*

BÉRENGER

Calmez-vous !

*Pendant ce temps, M. Papillon, Dudard
et Botard se précipitent à gauche, ouvrent
la porte en se bousculant et se retrouvent
sur le palier de l'escalier entourés de poussière; les barrissements continuent de se
faire entendre.*

DAISY, *à Mme Bœuf.*

Vous allez mieux, madame Bœuf?

MONSIEUR PAPILLON, *sur le palier.*

Le voilà. En bas! C'en est un!

BOTARD

Je ne vois rien du tout. C'est une illusion.

DUDARD

Mais si, là, en bas, il tourne en rond.

MONSIEUR PAPILLON

Messieurs, il n'y a pas de doute. Il tourne en
rond.

DUDARD

Il ne pourra pas monter. Il n'y a plus d'escalier.

BOTARD

C'est bien bizarre. Qu'est-ce que cela veut dire?

DUDARD, *se tournant du côté de Bérenger.*

Venez donc voir. Venez donc le voir, votre rhinocéros.

BÉRENGER

J'arrive.

> *Bérenger se précipite en direction du palier, suivi de Daisy abandonnant Mme Bœuf.*

MONSIEUR PAPILLON, *à Bérenger.*

Alors, vous, le spécialiste des rhinocéros, regardez donc.

BÉRENGER

Je ne suis pas le spécialiste des rhinocéros...

DAISY

Oh!... regardez... comme il tourne en rond. On dirait qu'il souffre... qu'est-ce qu'il veut?

DUDARD

On dirait qu'il cherche quelqu'un. (*À Botard.*) Vous le voyez, maintenant?

BOTARD, *vexé.*

En effet, je le vois.

DAISY, *à Botard.*

Peut-être avons-nous tous la berlue? Et vous aussi...

BOTARD

Je n'ai jamais la berlue. Mais il y a quelque chose là-dessous.

DUDARD, *à Botard.*

Quoi, quelque chose ?

MONSIEUR PAPILLON, *à Bérenger.*

C'est bien un rhinocéros, n'est-ce pas ? C'est bien celui que vous avez déjà vu ? (*À Daisy.*) Et vous aussi ?

DAISY

Certainement.

BÉRENGER

Il a deux cornes. C'est un rhinocéros africain, ou plutôt asiatique. Ah ! je ne sais plus si le rhinocéros africain a deux cornes ou une corne.

MONSIEUR PAPILLON

Il nous a démoli l'escalier, tant mieux, une chose pareille devait arriver ! Depuis le temps que je demande à la direction générale de nous construire des marches de ciment pour remplacer ce vieil escalier vermoulu.

DUDARD

Il y a une semaine encore, j'ai envoyé un rapport, monsieur le Chef.

MONSIEUR PAPILLON

Cela devait arriver, cela devait arriver. C'était à prévoir. J'ai eu raison.

DAISY, *à M. Papillon, ironique.*

Comme d'habitude.

BÉRENGER, *à Dudard et à M. Papillon.*

Voyons, voyons, la bicornuité caractérise-t-elle le
rhinocéros d'Asie ou celui d'Afrique? L'unicor-
nuité caractérise-t-elle celui d'Afrique ou d'Asie?...

DAISY

Pauvre bête, il n'en finit pas de barrir, et de
tourner en rond. Qu'est-ce qu'il veut? Oh! il
nous regarde. (*En direction du rhinocéros.*) Minou,
minou, minou...

DUDARD

Vous n'allez pas le caresser, il n'est sans doute
pas apprivoisé...

MONSIEUR PAPILLON

De toute façon, il est hors d'atteinte.

> *Le rhinocéros barrit abominablement.*

DAISY

Pauvre bête!

BÉRENGER, *poursuivant; à Botard.*

Vous qui savez un tas de choses, ne pensez-vous
pas au contraire que c'est la bicornuité qui...?

MONSIEUR PAPILLON

Vous cafouillez, mon cher Bérenger, vous êtes
encore vaseux. M. Botard a raison.

BOTARD

Comment est-ce possible, dans un pays civilisé...

DAISY, *à Botard.*

D'accord. Cependant, existe-t-il ou non ?

BOTARD

C'est une machination infâme ! (*D'un geste d'orateur de tribune, pointant son doigt vers Dudard, et le foudroyant du regard.*) C'est votre faute.

DUDARD

Pourquoi la mienne, et pas la vôtre ?

BOTARD, *furieux.*

Ma faute ? C'est toujours sur les petits que ça retombe. S'il ne tenait qu'à moi...

MONSIEUR PAPILLON

Nous sommes dans de beaux draps, sans escalier.

DAISY, *à Botard et à Dudard.*

Calmez-vous, ça n'est pas le moment, Messieurs !

MONSIEUR PAPILLON

C'est la faute de la direction générale.

DAISY

Peut-être. Mais comment allons-nous descendre ?

MONSIEUR PAPILLON, *plaisantant amoureusement et caressant la joue de la dactylo.*

Je vous prendrai dans mes bras, et nous sauterons ensemble !

DAISY, *repoussant la main du Chef de
Service.*

Ne mettez pas sur ma figure votre main
rugueuse, espèce de pachyderme !

MONSIEUR PAPILLON

Je plaisantais !

> *Entre-temps, tandis que le rhinocéros
> n'avait cessé de barrir, Mme Bœuf s'était
> levée et avait rejoint le groupe. Elle fixe,
> quelques instants, attentivement, le rhinocé-
> ros tournant en rond, en bas ; elle pousse
> brusquement un cri terrible.*

MADAME BŒUF

Mon Dieu ! Est-ce possible !

BÉRENGER, *à Mme Bœuf.*

Qu'avez-vous ?

MADAME BŒUF

C'est mon mari ! Bœuf, mon pauvre Bœuf, que
t'est-il arrivé ?

DAISY, *à Mme Bœuf.*

Vous en êtes sûre ?

MADAME BŒUF

Je le reconnais, je le reconnais.

> *Le rhinocéros répond par un barrisse-
> ment violent, mais tendre.*

MONSIEUR PAPILLON

Par exemple ! Cette fois, je le mets à la porte pour de bon !

DUDARD

Est-il assuré ?

BOTARD, *à part.*

Je comprends tout...

DAISY

Comment payer les assurances dans un cas semblable ?

MADAME BŒUF, *s'évanouissant dans les bras de Bérenger.*

Ah ! mon Dieu !

BÉRENGER

Oh !

DAISY

Transportons-la.

> *Bérenger aidé par Dudard et Daisy traîne Mme Bœuf jusqu'à sa chaise et l'installe.*

DUDARD, *pendant qu'on la transporte.*

Ne vous en faites pas, madame Bœuf.

MADAME BŒUF

Ah ! Oh !

DAISY

Ça s'arrangera peut-être...

MONSIEUR PAPILLON, *à Dudard.*

Juridiquement, que peut-on faire ?

DUDARD

Il faut demander au contentieux.

BOTARD, *suivant le cortège et levant les*
bras au ciel.

C'est de la folie pure ! Quelle société ! (*On s'em-*
presse autour de Mme Bœuf, on tapote ses joues, elle
ouvre les yeux, pousse un «Ah !», referme les yeux, on
retapote ses joues, pendant que Botard parle.) En tout
cas, soyez certain que je dirai tout à mon comité
d'action. Je n'abandonnerai pas un collègue dans
le besoin. Cela se saura.

MADAME BŒUF, *revenant à elle.*

Mon pauvre chéri, je ne peux pas le laisser
comme cela, mon pauvre chéri. (*On entend barrir.*)
Il m'appelle. (*Tendrement :*) Il m'appelle.

DAISY

Ça va mieux, madame Bœuf ?

DUDARD

Elle reprend ses esprits.

BOTARD, *à Mme Bœuf.*

Soyez assurée de l'appui de notre délégation.
Voulez-vous devenir membre de notre comité ?

MONSIEUR PAPILLON

Il va encore y avoir du retard dans le travail. Mademoiselle Daisy, le courrier !

DAISY

Il faut savoir d'abord comment nous allons pouvoir sortir d'ici.

MONSIEUR PAPILLON

C'est un problème. Par la fenêtre.

> *Ils se dirigent tous vers la fenêtre, sauf Mme Bœuf, affalée sur sa chaise, et Botard qui restent au milieu du plateau.*

BOTARD

Je sais d'où cela vient.

DAISY, *à la fenêtre.*

C'est trop haut.

BÉRENGER

Il faudrait peut-être appeler les pompiers, qu'ils viennent avec leurs échelles !

MONSIEUR PAPILLON

Mademoiselle Daisy, allez dans mon bureau et téléphonez aux pompiers.

> *M. Papillon fait mine de la suivre.*
> *Daisy sort par le fond, on l'entendra décrocher l'appareil, dire : « Allô ! allô ! les pompiers ? » et un vague bruit de conversation téléphonique.*

MADAME BŒUF *se lève brusquement*.

Je ne peux pas le laisser comme cela, je ne peux pas le laisser comme cela !

MONSIEUR PAPILLON

Si vous voulez divorcer… vous avez maintenant une bonne raison.

DUDARD

Ce sera certainement à ses torts.

MADAME BŒUF

Non ! le pauvre ! ce n'est pas le moment, je ne peux pas abandonner mon mari dans cet état.

BOTARD

Vous êtes une brave femme.

DUDARD, *à Mme Bœuf*.

Mais qu'allez-vous faire ?

En courant vers la gauche, Mme Bœuf se précipite vers le palier.

BÉRENGER

Attention !

MADAME BŒUF

Je ne peux pas l'abandonner, je ne peux pas l'abandonner.

DUDARD

Retenez-la.

MADAME BŒUF

Je l'emmène à la maison !

MONSIEUR PAPILLON

Qu'est-ce qu'elle veut faire ?

MADAME BŒUF, *se préparant à sauter ;*
au bord du palier.

Je viens, mon chéri, je viens.

BÉRENGER

Elle va sauter.

BOTARD

C'est son devoir.

DUDARD

Elle ne mourra pas.

> *Tous, sauf Daisy, qui téléphone tou-*
> *jours, se trouvent près d'elle sur le palier ;*
> *Mme Bœuf saute ; Bérenger, qui tout de*
> *même essaye de la retenir, est resté avec sa*
> *jupe dans les mains.*

BÉRENGER

Je n'ai pas pu la retenir.

> *On entend, venant d'en bas, le rhinocé-*
> *ros barrir tendrement.*

MADAME BŒUF

Me voilà, mon chéri, me voilà.

DUDARD

Elle atterrit sur son dos, à califourchon.

BOTARD

C'est une amazone.

VOIX DE MADAME BŒUF

À la maison, mon chéri, rentrons.

DUDARD

Ils partent au galop.

> *Dudard, Bérenger, Botard, M. Papillon reviennent sur le plateau, se mettent à la fenêtre.*

BÉRENGER

Ils vont vite.

DUDARD, *à M. Papillon.*

Vous avez déjà fait de l'équitation ?

MONSIEUR PAPILLON

Autrefois... un peu... (*Se tournant du côté de la porte du fond, à Dudard.*) Elle n'a pas fini de téléphoner !...

BÉRENGER, *suivant du regard le rhinocéros.*

Ils sont déjà loin. On ne les voit plus.

DAISY, *sortant.*

J'ai eu du mal à avoir les pompiers !...

BOTARD, *comme conclusion à un*
monologue intérieur.

C'est du propre !

DAISY

... J'ai eu du mal à avoir les pompiers.

MONSIEUR PAPILLON

Il y a le feu partout ?

BÉRENGER

Je suis de l'avis de M. Botard. L'attitude de
Mme Bœuf est vraiment touchante, elle a du
cœur.

MONSIEUR PAPILLON

J'ai un employé en moins que je dois remplacer.

BÉRENGER

Vous croyez vraiment qu'il ne peut plus nous
être utile ?

DAISY

Non, il n'y a pas de feu, les pompiers ont été
appelés pour d'autres rhinocéros.

BÉRENGER

Pour d'autres rhinocéros ?

DUDARD

Comment, pour d'autres rhinocéros ?

DAISY

Oui, pour d'autres rhinocéros. On en signale un peu partout dans la ville[1]. Ce matin, il y en avait sept, maintenant il y en a dix-sept.

BOTARD

Qu'est-ce que je vous disais !

DAISY, *continuant.*

Il y en aurait même trente-deux de signalés. Ce n'est pas encore officiel, mais ce sera certainement confirmé.

BOTARD, *moins convaincu.*

Pfff ! On exagère !

MONSIEUR PAPILLON

Est-ce qu'ils vont venir nous sortir de là ?

BÉRENGER

Moi, j'ai faim !…

DAISY

Oui, ils vont venir, les pompiers sont en route !

MONSIEUR PAPILLON

Et le travail !

DUDARD

Je crois que c'est un cas de force majeure.

MONSIEUR PAPILLON

Il faudra rattraper les heures de travail perdues.

DUDARD

Alors, monsieur Botard, est-ce que vous niez toujours l'évidence rhinocérique ?

BOTARD

Notre délégation s'oppose à ce que vous renvoyiez M. Bœuf sans préavis.

MONSIEUR PAPILLON

Ce n'est pas à moi de décider, nous verrons bien les conclusions de l'enquête.

BOTARD, *à Dudard.*

Non, monsieur Dudard, je ne nie pas l'évidence rhinocérique. Je ne l'ai jamais niée.

DUDARD

Vous êtes de mauvaise foi.

DAISY

Ah oui ! vous êtes de mauvaise foi.

BOTARD

Je répète que je ne l'ai jamais niée. Je tenais simplement à savoir jusqu'où cela pouvait aller. Mais moi, je sais à quoi m'en tenir. Je ne constate pas simplement le phénomène. Je le comprends, et je l'explique. Du moins, je pourrais l'expliquer si...

DUDARD

Mais expliquez-nous-le.

DAISY

Expliquez-le, monsieur Botard.

MONSIEUR PAPILLON

Expliquez-le puisque vos collègues vous le demandent.

BOTARD

Je vous l'expliquerai…

DUDARD

On vous écoute.

DAISY

Je suis bien curieuse.

BOTARD

Je vous l'expliquerai… un jour…

DUDARD

Pourquoi pas tout de suite?

BOTARD, *à M. Papillon, menaçant.*

Nous nous expliquerons bientôt, entre nous. (*À tous.*) Je connais le pourquoi des choses, les dessous de l'histoire…

DAISY

Quels dessous?

BÉRENGER

Quels dessous?

DUDARD

Je voudrais bien les connaître, les dessous…

BOTARD, *continuant, terrible.*

Et je connais aussi les noms de tous les responsables. Les noms des traîtres. Je ne suis pas dupe. Je vous ferai connaître le but et la signification de cette provocation ! Je démasquerai les instigateurs.

BÉRENGER

Qui aurait intérêt à… ?

DUDARD, *à Botard.*

Vous divaguez, monsieur Botard.

MONSIEUR PAPILLON

Ne divaguons point.

BOTARD

Moi, je divague, je divague ?

DAISY

Tout à l'heure, vous nous accusiez d'avoir des hallucinations.

BOTARD

Tout à l'heure, oui. Maintenant, l'hallucination est devenue provocation.

DUDARD

Comment s'est effectué ce passage, selon vous ?

BOTARD

C'est le secret de polichinelle, Messieurs ! Seuls les enfants n'y comprennent rien. Seuls les hypocrites font semblant de ne pas comprendre.

> *On entend le bruit et le signal de la voiture des pompiers qui arrive. On entend les freins de la voiture, qui stoppe brusquement sous la fenêtre.*

DAISY

Voilà les pompiers !

BOTARD

Il faudra que cela change, ça ne se passera pas comme cela.

DUDARD

Il n'y a aucune signification à cela, monsieur Botard. Les rhinocéros existent, c'est tout. Ça ne veut rien dire d'autre.

DAISY, *à la fenêtre, regardant en bas.*

Par ici, messieurs les Pompiers.

> *On entend, en bas, un remue-ménage, un branle-bas, les bruits de la voiture.*

VOIX D'UN POMPIER

Installez l'échelle.

BOTARD, *à Dudard.*

J'ai la clé des événements, un système d'interprétation infaillible.

MONSIEUR PAPILLON

Il faudrait tout de même revenir au bureau cet après-midi.

> *On voit l'échelle des pompiers se poser contre la fenêtre.*

BOTARD

Tant pis pour les affaires, monsieur Papillon.

MONSIEUR PAPILLON

Que va dire la direction générale ?

DUDARD

C'est un cas exceptionnel.

BOTARD, *montrant la fenêtre.*

On ne peut pas nous obliger à reprendre le même chemin. Il faut attendre qu'on répare l'escalier.

DUDARD

Si quelqu'un se casse une jambe, cela pourrait créer des ennuis à la direction.

MONSIEUR PAPILLON

C'est juste.

> *On voit apparaître le casque d'un Pompier, puis le Pompier.*

BÉRENGER, *à Daisy, montrant la fenêtre.*

Après vous, mademoiselle Daisy.

LE POMPIER

Allons, Mademoiselle.

> *Le Pompier prend Mlle Daisy dans ses bras, par la fenêtre, que celle-ci escalade, et disparaîtra avec.*

DUDARD

Au revoir, mademoiselle Daisy. À bientôt.

DAISY, *disparaissant.*

À bientôt, Messieurs !

MONSIEUR PAPILLON, *à la fenêtre.*

Téléphonez-moi demain matin, Mademoiselle. Vous viendrez taper le courrier chez moi. (*À Bérenger.*) Monsieur Bérenger, je vous attire l'attention que nous ne sommes pas en vacances, et qu'on reprendra le travail dès que possible. (*Aux deux autres.*) Vous m'avez entendu, Messieurs ?

DUDARD

D'accord, monsieur Papillon.

BOTARD

Évidemment, on nous exploite jusqu'au sang !

LE POMPIER, *réapparaissant à la fenêtre.*

À qui le tour ?

MONSIEUR PAPILLON, *s'adressant aux trois.*

Allez-y.

DUDARD

Après vous, monsieur Papillon.

BÉRENGER

Après vous, monsieur le Chef.

BOTARD

Après vous, bien sûr.

MONSIEUR PAPILLON, *à Bérenger.*

Apportez-moi le courrier de Mlle Daisy. Là, sur la table.

> *Bérenger va chercher le courrier, et l'apporte à M. Papillon.*

LE POMPIER

Allons, dépêchez-vous. On n'a pas le temps. Il y en a d'autres qui nous appellent.

BOTARD

Qu'est-ce que je vous disais ?

> *M. Papillon, le courrier sous le bras, escalade la fenêtre.*

MONSIEUR PAPILLON, *aux pompiers.*

Attention aux dossiers. (*Se retournant vers Dudard, Botard et Bérenger.*) Messieurs, au revoir.

DUDARD

Au revoir, monsieur Papillon.

BÉRENGER

Au revoir, monsieur Papillon.

MONSIEUR PAPILLON *a disparu ;*
on l'entend dire :

Attention, les papiers !

VOIX DE MONSIEUR PAPILLON

Dudard ! Fermez les bureaux à clé !

DUDARD, *criant.*

Ne vous inquiétez pas, monsieur Papillon. (*À Botard.*) Après vous, monsieur Botard.

BOTARD

Messieurs, je descends. Et de ce pas, je vais prendre contact avec les autorités compétentes. J'éluciderai ce faux mystère.

Il se dirige vers la fenêtre, pour l'esca-lader.

DUDARD, *à Botard.*

Je croyais que c'était déjà clair pour vous !

BOTARD, *escaladant la fenêtre.*

Votre ironie ne me touche guère. Ce que je veux, c'est vous montrer les preuves, les docu-ments, oui, les preuves de votre félonie.

DUDARD

C'est absurde...

BOTARD

Votre insulte...

DUDARD, *l'interrompant.*

C'est vous qui m'insultez…

BOTARD, *disparaissant.*

Je n'insulte pas. Je prouve.

VOIX DU POMPIER

Allez, allez…

DUDARD, *à Bérenger.*

Que faites-vous cet après-midi? On pourrait boire un coup.

BÉRENGER

Je m'excuse. Je vais profiter de cet après-midi libre pour aller voir mon ami Jean. Je veux me réconcilier avec lui, tout de même. On s'était fâchés. J'ai eu des torts.

> *La tête du Pompier réapparaît à la fenêtre.*

LE POMPIER

Allons, allons…

BÉRENGER, *montrant la fenêtre.*

Après vous.

DUDARD, *à Bérenger.*

Après vous.

BÉRENGER, *à Dudard.*

Oh! non, après vous.

DUDARD, *à Bérenger.*

Pas du tout, après vous.

BÉRENGER, *à Dudard.*

Je vous en prie, après vous, après vous.

LE POMPIER

Dépêchons, dépêchons.

DUDARD, *à Bérenger.*

Après vous, après vous.

BÉRENGER, *à Dudard.*

Après vous, après vous.

> *Ils escaladent la fenêtre en même temps.*
> *Le Pompier les aide à descendre, tandis que*
> *le rideau tombe.*

FIN DU TABLEAU

DEUXIÈME TABLEAU

Décor

Chez Jean. La structure du dispositif est à peu près la même qu'au premier tableau de ce deuxième acte. C'est-à-dire que le plateau est partagé en deux. À droite, occupant les trois quarts ou les quatre cinquièmes du plateau, selon la largeur de celui-ci, on voit la chambre de Jean. Au fond, contre le mur, le lit de Jean, dans lequel celui-ci est couché. Au milieu du plateau, une chaise ou un fauteuil, dans lequel Bérenger viendra s'installer. À droite, au milieu, une porte donnant sur le cabinet de toilette de Jean. Lorsque Jean ira faire sa toilette, on entendra le bruit de l'eau du robinet, celui de la douche. À gauche de la chambre, une cloison sépare le plateau en deux. Au milieu, la porte donnant sur l'escalier. Si on veut faire un décor moins réaliste, un décor stylisé, on peut mettre simplement la porte sans cloison. À gauche du plateau, on voit l'escalier, les dernières marches menant à l'appartement de Jean, la rampe, le haut du palier. Dans le fond, à la hauteur de ce palier, une porte de l'appartement des voisins. Plus bas, dans le fond, le haut d'une porte vitrée, au-dessus de laquelle on voit écrit Concierge.

Au lever du rideau, Jean, dans son lit, est couché sous sa couverture, dos au public. On l'entend tousser. Au bout de quelques instants, on voit Bérenger paraître, montant les dernières marches de l'escalier. Il frappe à la porte, Jean ne répond pas. Bérenger frappe de nouveau.

BÉRENGER

Jean ! (*Il frappe de nouveau.*) Jean !

> *La porte du fond du palier s'entrouvre, apparaît un petit vieux à barbiche blanche.*

LE PETIT VIEUX

Qu'est-ce qu'il y a ?

BÉRENGER

Je viens voir Jean, M. Jean, mon ami.

LE PETIT VIEUX

Je croyais que c'était pour moi. Moi aussi, je m'appelle Jean, alors c'est l'autre.

VOIX DE LA FEMME DU VIEUX, *du fond de la pièce.*

C'est pour nous ?

LE PETIT VIEUX, *se retournant vers sa femme que l'on ne voit pas.*

C'est pour l'autre.

BÉRENGER, *frappant.*

Jean.

LE PETIT VIEUX

Je ne l'ai pas vu sortir. Je l'ai vu hier soir. Il n'avait pas l'air de bonne humeur.

BÉRENGER

Je sais pourquoi, c'est ma faute.

LE PETIT VIEUX

Peut-être ne veut-il pas ouvrir. Essayez encore.

VOIX DE LA FEMME DU VIEUX

Jean! ne bavarde pas, Jean.

BÉRENGER, *frappant.*

Jean!

LE PETIT VIEUX, *à sa femme.*

Une seconde. Ah! là là...

Il referme la porte et disparaît.

JEAN, *toujours couché, dos au public,
d'une voix rauque.*

Qu'est-ce qu'il y a?

BÉRENGER

Je suis venu vous voir, mon cher Jean.

JEAN

Qui est là?

BÉRENGER

Moi, Bérenger. Je ne vous dérange pas?

JEAN

Ah ! c'est vous ? Entrez.

BÉRENGER, *essayant d'ouvrir.*

La porte est fermée.

JEAN

Une seconde. Ah ! là là... (*Jean se lève d'assez mauvaise humeur en effet. Il a un pyjama vert, les cheveux ébouriffés.*) Une seconde. (*Il tourne la clé dans la serrure.*) Une seconde. (*Il va se coucher de nouveau, se met sous la couverture, comme avant.*) Entrez.

BÉRENGER, *entrant.*

Bonjour, Jean.

JEAN, *dans son lit.*

Quelle heure est-il ? Vous n'êtes pas au bureau ?

BÉRENGER

Vous êtes encore couché, vous n'êtes pas au bureau ? Excusez-moi, je vous dérange peut-être.

JEAN, *toujours de dos.*

C'est curieux, je ne reconnaissais pas votre voix.

BÉRENGER

Moi non plus, je ne reconnaissais pas votre voix.

JEAN, *toujours de dos.*

Asseyez-vous.

BÉRENGER

Vous êtes malade? (*Jean répond par un grogne-ment.*) Vous savez, Jean, j'ai été stupide de me fâcher avec vous, pour une histoire pareille.

JEAN

Quelle histoire?

BÉRENGER

Hier...

JEAN

Quand hier? Où hier?

BÉRENGER

Vous avez oublié? C'était à propos de ce rhino-céros, de ce malheureux rhinocéros.

JEAN

Quel rhinocéros?

BÉRENGER

Le rhinocéros, ou si vous voulez, ces deux mal-heureux rhinocéros que nous avons aperçus.

JEAN

Ah! oui, je me souviens... Qui vous a dit que ces deux rhinocéros étaient malheureux?

BÉRENGER

C'est une façon de parler.

JEAN

Bon. N'en parlons plus.

BÉRENGER

Vous êtes bien gentil.

JEAN

Et alors?

BÉRENGER

Je tiens quand même à vous dire que je regrette
d'avoir soutenu… avec acharnement, avec entête-
ment… avec colère… oui, bref, bref… J'ai été stupide.

JEAN

Ça ne m'étonne pas de vous.

BÉRENGER

Excusez-moi.

JEAN

Je ne me sens pas très bien.

Il tousse.

BÉRENGER

C'est la raison, sans doute, pour laquelle vous
êtes au lit. (*Changeant de ton.*) Vous savez, Jean,
nous avions raison tous les deux.

JEAN

À quel propos?

BÉRENGER

Au sujet de… la même chose. Encore une fois, excusez-moi d'y revenir, je ne m'y étendrai pas longtemps. Je tiens donc à vous dire, mon cher Jean, que, chacun à sa façon, nous avions raison tous les deux. Maintenant, c'est prouvé. Il y a dans la ville des rhinocéros à deux cornes aussi bien que des rhinocéros à une corne.

JEAN

C'est ce que je vous disais ! Eh bien, tant pis.

BÉRENGER

Oui, tant pis.

JEAN

Ou tant mieux, c'est selon.

BÉRENGER, *continuant.*

D'où viennent les uns, d'où viennent les autres, ou, d'où viennent les autres, d'où viennent les uns, cela importe peu au fond. La seule chose qui compte à mes yeux, c'est l'existence du rhinocéros en soi, car…

JEAN, *se retournant et s'asseyant sur son lit défait, face à Bérenger.*

Je ne me sens pas très bien, je ne me sens pas très bien !

BÉRENGER

J'en suis désolé ! Qu'avez-vous donc ?

JEAN

Je ne sais pas trop, un malaise, des malaises…

BÉRENGER

Des faiblesses?

JEAN

Pas du tout. Ça bouillonne au contraire.

BÉRENGER

Je veux dire… une faiblesse passagère. Ça peut arriver à tout le monde.

JEAN

À moi, jamais.

BÉRENGER

Peut-être un excès de santé, alors. Trop d'énergie, ça aussi c'est mauvais parfois. Ça déséquilibre le système nerveux.

JEAN

J'ai un équilibre parfait. (*La voix de Jean se fait de plus en plus rauque.*) Je suis sain d'esprit et de corps. Mon hérédité…

BÉRENGER

Bien sûr, bien sûr. Peut-être avez-vous pris froid quand même. Avez-vous de la fièvre?

JEAN

Je ne sais pas. Si, sans doute un peu de fièvre. J'ai mal à la tête.

BÉRENGER

Une petite migraine. Je vais vous laisser, si vous voulez.

JEAN

Restez. Vous ne me gênez pas.

BÉRENGER

Vous êtes enroué, aussi.

JEAN

Enroué ?

BÉRENGER

Un peu enroué, oui. C'est pour cela que je ne reconnaissais pas votre voix.

JEAN

Pourquoi serais-je enroué ? Ma voix n'a pas changé, c'est plutôt la vôtre qui a changé.

BÉRENGER

La mienne ?

JEAN

Pourquoi pas ?

BÉRENGER

C'est possible. Je ne m'en étais pas aperçu.

JEAN

De quoi êtes-vous capable de vous apercevoir ? (*Mettant la main à son front.*) C'est le front plus précisément qui me fait mal. Je me suis cogné, sans doute !

Sa voix est encore plus rauque.

BÉRENGER

Quand vous êtes-vous cogné ?

JEAN

Je ne sais pas. Je ne m'en souviens pas.

BÉRENGER

Vous auriez eu mal.

JEAN

Je me suis peut-être cogné en dormant.

BÉRENGER

Le choc vous aurait réveillé. Vous aurez sans doute simplement rêvé que vous vous êtes cogné.

JEAN

Je ne rêve jamais…

BÉRENGER, *continuant.*

Le mal de tête a dû vous prendre pendant votre sommeil, vous avez oublié d'avoir rêvé, ou plutôt vous vous en souvenez inconsciemment !

JEAN

Moi, inconsciemment ? Je suis maître de mes pensées, je ne me laisse pas aller à la dérive. Je vais tout droit, je vais toujours tout droit.

BÉRENGER

Je le sais. Je ne me suis pas fait comprendre.

JEAN

Soyez plus clair. Ce n'est pas la peine de me dire des choses désagréables.

BÉRENGER

On a souvent l'impression qu'on s'est cogné, quand on a mal à la tête. (*S'approchant de Jean.*) Si vous vous étiez cogné, vous devriez avoir une bosse. (*Regardant Jean.*) Si, tiens, vous en avez une, vous avez une bosse en effet.

JEAN

Une bosse ?

BÉRENGER

Une toute petite.

JEAN

Où ?

BÉRENGER, *montrant le front de Jean.*

Tenez, elle pointe juste au-dessus de votre nez.

JEAN

Je n'ai point de bosse. Dans ma famille, on n'en a jamais eu.

BÉRENGER

Avez-vous une glace ?

JEAN

Ah ça alors! (*Se tâtant le front.*) On dirait bien pourtant. Je vais voir, dans la salle de bains. (*Il se lève brusquement et se dirige vers la salle de bains. Bérenger le suit du regard. De la salle de bains :*) C'est vrai, j'ai une bosse. (*Il revient, son teint est devenu plus verdâtre.*) Vous voyez bien que je me suis cogné.

BÉRENGER

Vous avez mauvaise mine, votre teint est verdâtre.

JEAN

Vous adorez me dire des choses désagréables. Et vous, vous êtes-vous regardé?

BÉRENGER

Excusez-moi, je ne veux pas vous faire de la peine.

JEAN, *très ennuyé.*

On ne le dirait pas.

BÉRENGER

Votre respiration est très bruyante. Avez-vous mal à la gorge? (*Jean va de nouveau s'asseoir sur son lit.*) Avez-vous mal à la gorge? c'est peut-être une angine.

JEAN

Pourquoi aurais-je une angine?

BÉRENGER

Ça n'est pas infamant, moi aussi j'ai eu des angines. Permettez que je prenne votre pouls.

> *Bérenger se lève, il va prendre le pouls de Jean.*

> JEAN, *d'une voix encore plus rauque.*

Oh! ça ira.

BÉRENGER

Votre pouls bat à un rythme tout à fait régulier. Ne vous effrayez pas.

JEAN

Je ne suis pas effrayé du tout, pourquoi le serais-je?

BÉRENGER

Vous avez raison. Quelques jours de repos et ce sera fini.

JEAN

Je n'ai pas le temps de me reposer. Je dois chercher ma nourriture.

BÉRENGER

Vous n'avez pas grand-chose, puisque vous avez faim. Cependant, vous devriez quand même vous reposer quelques jours. Ce sera plus prudent. Avez-vous fait venir le médecin?

JEAN

Je n'ai pas besoin de médecin.

BÉRENGER

Si, il faut faire venir le médecin.

JEAN

Vous n'allez pas faire venir le médecin, puisque
je ne veux pas faire venir le médecin. Je me
soigne tout seul.

BÉRENGER

Vous avez tort de ne pas croire à la médecine.

JEAN

Les médecins inventent des maladies qui
n'existent pas.

BÉRENGER

Cela part d'un bon sentiment. C'est pour le
plaisir de soigner les gens.

JEAN

Ils inventent les maladies, ils inventent les maladies !

BÉRENGER

Peut-être les inventent-ils. Mais ils guérissent les
maladies qu'ils inventent.

JEAN

Je n'ai confiance que dans les vétérinaires.

BÉRENGER, *qui avait lâché le poignet
de Jean, le prend de nouveau.*

Vos veines ont l'air de se gonfler. Elles sont
saillantes.

JEAN

C'est un signe de force.

BÉRENGER

Évidemment, c'est un signe de santé et de force. Cependant...

> *Il observe de plus près l'avant-bras de Jean, malgré celui-ci, qui réussit à le retirer violemment.*

JEAN

Qu'avez-vous à m'examiner comme une bête curieuse ?

BÉRENGER

Votre peau...

JEAN

Qu'est-ce qu'elle peut vous faire ma peau ? Est-ce que je m'occupe de votre peau ?

BÉRENGER

On dirait... oui, on dirait qu'elle change de couleur à vue d'œil. Elle verdit. (*Il veut reprendre la main de Jean.*) Elle durcit aussi.

JEAN, *retirant de nouveau sa main.*

Ne me tâtez pas comme ça. Qu'est-ce qu'il vous prend ? Vous m'ennuyez.

BÉRENGER, *pour lui.*

C'est peut-être plus grave que je ne croyais. (*À Jean.*) Il faut appeler le médecin.

> *Il se dirige vers le téléphone.*

JEAN

Laissez cet appareil tranquille. (*Il se précipite vers Bérenger et le repousse. Bérenger chancelle.*) Mêlez-vous de ce qui vous regarde.

BÉRENGER

Bon, bon. C'était pour votre bien.

JEAN, *toussant et respirant bruyamment.*

Je connais mon bien mieux que vous.

BÉRENGER

Vous ne respirez pas facilement.

JEAN

On respire comme on peut! Vous n'aimez pas ma respiration, moi je n'aime pas la vôtre. Vous respirez trop faiblement, on ne vous entend même pas, on dirait que vous allez mourir d'un instant à l'autre.

BÉRENGER

Sans doute n'ai-je pas votre force.

JEAN

Est-ce que je vous envoie, vous, chez le médecin pour qu'il vous en donne? Chacun fait ce qu'il veut!

BÉRENGER

Ne vous mettez pas en colère contre moi. Vous savez bien que je suis votre ami.

JEAN

L'amitié n'existe pas. Je ne crois pas en votre amitié.

BÉRENGER

Vous me vexez.

JEAN

Vous n'avez pas à vous vexer.

BÉRENGER

Mon cher Jean…

JEAN

Je ne suis pas votre cher Jean.

BÉRENGER

Vous êtes bien misanthrope aujourd'hui.

JEAN

Oui, je suis misanthrope, misanthrope, misanthrope, ça me plaît d'être misanthrope.

BÉRENGER

Vous m'en voulez sans doute encore, pour notre sotte querelle d'hier, c'était ma faute, je le reconnais. Et justement j'étais venu pour m'excuser…

JEAN

De quelle querelle parlez-vous?

BÉRENGER

Je viens de vous le rappeler. Vous savez, le rhinocéros !

JEAN, *sans écouter Bérenger.*

À vrai dire, je ne déteste pas les hommes, ils me sont indifférents, ou bien ils me dégoûtent, mais qu'ils ne se mettent pas en travers de ma route, je les écraserais.

BÉRENGER

Vous savez bien que je ne serai jamais un obstacle...

JEAN

J'ai un but, moi. Je fonce vers lui.

BÉRENGER

Vous avez raison certainement. Cependant, je crois que vous passez par une crise morale. (*Depuis un instant, Jean parcourt la chambre, comme une bête en cage, d'un mur à l'autre. Bérenger l'observe, s'écarte de temps en temps, légèrement, pour l'éviter. La voix de Jean est toujours de plus en plus rauque.*) Ne vous énervez pas, ne vous énervez pas.

JEAN

Je me sentais mal à l'aise dans mes vêtements, maintenant mon pyjama aussi me gêne !

> *Il entrouvre et referme la veste de son pyjama.*

BÉRENGER

Ah ! mais, qu'est-ce qu'elle a votre peau ?

JEAN

Encore ma peau ? C'est ma peau, je ne la chan-
gerai certainement pas contre la vôtre.

BÉRENGER

On dirait du cuir.

JEAN

C'est plus solide. Je résiste aux intempéries.

BÉRENGER

Vous êtes de plus en plus vert.

JEAN

Vous avez la manie des couleurs aujourd'hui.
Vous avez des visions, vous avez encore bu.

BÉRENGER

J'ai bu hier, plus aujourd'hui.

JEAN

C'est le résultat de tout un passé de débauches.

BÉRENGER

Je vous ai promis de m'amender, vous le savez
bien, car moi, j'écoute les conseils d'amis comme
vous. Je ne m'en sens pas humilié, au contraire.

JEAN

Je m'en fiche. Brrr...

BÉRENGER

Que dites-vous?

JEAN

Je ne dis rien. Je fais brrr... ça m'amuse.

BÉRENGER, *regardant Jean dans les yeux.*

Savez-vous ce qui est arrivé à Bœuf? Il est
devenu rhinocéros.

JEAN

Qu'est-il arrivé à Bœuf?

BÉRENGER

Il est devenu rhinocéros.

JEAN, *s'éventant avec les pans de sa veste.*

Brrr...

BÉRENGER

Ne plaisantez plus, voyons.

JEAN

Laissez-moi donc souffler. J'en ai bien le droit.
Je suis chez moi.

BÉRENGER

Je ne dis pas le contraire.

JEAN

Vous faites bien de ne pas me contredire. J'ai
chaud, j'ai chaud. Brrr... Une seconde. Je vais me
rafraîchir.

BÉRENGER, *tandis que Jean se précipite*
dans la salle de bains.

C'est la fièvre.

> *Jean est dans la salle de bains, on l'en-*
> *tend souffler, et on entend aussi couler l'eau*
> *d'un robinet.*

JEAN, *à côté.*

Brrr...

BÉRENGER

Il a des frissons. Tant pis, je téléphone au médecin.

> *Il se dirige de nouveau vers le téléphone,*
> *puis se retire brusquement, lorsqu'il entend*
> *la voix de Jean.*

JEAN

Alors, ce brave Bœuf est devenu rhinocéros. Ah! ah! ah!... Il s'est moqué de vous, il s'est déguisé. (*Il sort sa tête par l'entrebâillement de la porte de la salle de bains. Il est très vert. Sa bosse est un peu plus grande, au-dessus du nez.*) Il s'est déguisé.

BÉRENGER *se promenant dans la pièce,*
sans regarder Jean.

Je vous assure que ça avait l'air très sérieux.

JEAN

Eh bien, ça le regarde.

BÉRENGER, *se tournant vers Jean qui
disparaît dans la salle de bains.*

Il ne l'a sans doute pas fait exprès. Le changement s'est fait contre sa volonté.

JEAN, *à côté.*

Qu'est-ce que vous en savez?

BÉRENGER

Du moins, tout nous le fait supposer.

JEAN

Et s'il l'avait fait exprès? Hein, s'il l'avait fait
exprès?

BÉRENGER

Ça m'étonnerait. Du moins, Mme Bœuf n'avait
pas l'air du tout d'être au courant...

JEAN, *d'une voix rauque.*

Ah! ah! ah! Cette grosse Mme Bœuf! Ah! là
là! C'est une idiote!

BÉRENGER

Idiote, ou non...

JEAN, *il entre rapidement, enlève sa veste
qu'il jette sur le lit, tandis que Bérenger se
tourne discrètement.
Jean, qui a la poitrine et le dos verts,
rentre de nouveau dans la salle de bains.
Rentrant et sortant.*

Bœuf ne mettait jamais sa femme au courant de
ses projets...

BÉRENGER

Vous vous trompez, Jean. C'est un ménage très uni, au contraire.

JEAN

Très uni, vous en êtes sûr ? Hum, hum. Brrr...

BÉRENGER, *se dirigeant vers la salle de bains dont Jean lui claque la porte au nez.*

Très uni. La preuve, c'est que...

JEAN, *de l'autre côté.*

Bœuf avait sa vie personnelle. Il s'était réservé un coin secret, dans le fond de son cœur.

BÉRENGER

Je ne devrais pas vous faire parler, ça a l'air de vous faire du mal.

JEAN

Ça me dégage, au contraire.

BÉRENGER

Laissez-moi appeler le médecin, tout de même, je vous en prie.

JEAN

Je vous l'interdis absolument. Je n'aime pas les gens têtus. (*Jean entre dans la chambre. Bérenger recule un peu effrayé, car Jean est encore plus vert, et il parle avec beaucoup de peine. Sa voix est méconnaissable.*) Et alors, s'il est devenu rhinocéros de plein gré ou contre sa volonté, ça vaut peut-être mieux pour lui.

BÉRENGER

Que dites-vous là, cher ami ? Comment pouvez-vous penser…

JEAN

Vous voyez le mal partout. Puisque ça lui fait plaisir de devenir rhinocéros, puisque ça lui fait plaisir ! Il n'y a rien d'extraordinaire à cela.

BÉRENGER

Évidemment, il n'y a rien d'extraordinaire à cela. Pourtant, je doute que ça lui fasse tellement plaisir.

JEAN

Et pourquoi donc ?

BÉRENGER

Il m'est difficile de dire pourquoi. Ça se comprend.

JEAN

Je vous dis que ce n'est pas si mal que ça ! Après tout, les rhinocéros sont des créatures comme nous, qui ont droit à la vie au même titre que nous !

BÉRENGER

À condition qu'elles ne détruisent pas la nôtre[1]. Vous rendez-vous compte de la différence de mentalité ?

JEAN, *allant et venant dans la pièce,*
entrant dans la salle de bains, et sortant.

Pensez-vous que la nôtre soit préférable?

BÉRENGER

Tout de même, nous avons notre morale à nous, que je juge incompatible avec celle de ces animaux.

JEAN

La morale! Parlons-en de la morale, j'en ai assez de la morale, elle est belle la morale! Il faut dépasser la morale[1].

BÉRENGER

Que mettriez-vous à la place?

JEAN, *même jeu.*

La nature!

BÉRENGER

La nature?

JEAN, *même jeu.*

La nature a ses lois. La morale est antinaturelle.

BÉRENGER

Si je comprends, vous voulez remplacer la loi morale par la loi de la jungle!

JEAN

J'y vivrai, j'y vivrai[2].

BÉRENGER

Cela se dit. Mais dans le fond, personne...

JEAN, *l'interrompant, et allant et venant.*

Il faut reconstituer les fondements de notre vie.
Il faut retourner à l'intégrité primordiale.

BÉRENGER

Je ne suis pas du tout d'accord avec vous.

JEAN, *soufflant bruyamment.*

Je veux respirer.

BÉRENGER

Réfléchissez, voyons, vous vous rendez bien
compte que nous avons une philosophie que ces
animaux n'ont pas, un système de valeurs irrem-
plaçable. Des siècles de civilisation humaine l'ont
bâti!...

JEAN, *toujours dans la salle de bains.*

Démolissons tout cela, on s'en portera mieux[1].

BÉRENGER

Je ne vous prends pas au sérieux. Vous plaisantez, vous faites de la poésie.

JEAN

Brrr...

Il barrit presque.

BÉRENGER

Je ne savais pas que vous étiez poète.

JEAN, *il sort de la salle de bains.*

Brrr…

Il barrit de nouveau.

BÉRENGER

Je vous connais trop bien pour croire que c'est là votre pensée profonde. Car, vous le savez aussi bien que moi, l'homme…

JEAN, *l'interrompant.*

L'homme… Ne prononcez plus ce mot!

BÉRENGER

Je veux dire l'être humain, l'humanisme…

JEAN

L'humanisme est périmé! Vous êtes un vieux sentimental ridicule.

Il entre dans la salle de bains.

BÉRENGER

Enfin, tout de même, l'esprit…

JEAN, *dans la salle de bains.*

Des clichés! vous me racontez des bêtises.

BÉRENGER

Des bêtises!

JEAN, *de la salle de bains, d'une voix très rauque difficilement compréhensible.*

Absolument.

BÉRENGER

Je suis étonné de vous entendre dire cela, mon cher Jean! Perdez-vous la tête? Enfin, aimeriez-vous être rhinocéros?

JEAN

Pourquoi pas! Je n'ai pas vos préjugés.

BÉRENGER

Parlez plus distinctement. Je ne comprends pas. Vous articulez mal.

JEAN, *toujours de la salle de bains.*

Ouvrez vos oreilles!

BÉRENGER

Comment?

JEAN

Ouvrez vos oreilles. J'ai dit, pourquoi ne pas être un rhinocéros? J'aime les changements.

BÉRENGER

De telles affirmations venant de votre part... (*Bérenger s'interrompt, car Jean fait une apparition effrayante. En effet, Jean est devenu tout à fait vert. La bosse de son front est presque devenue une corne de rhinocéros.*) Oh! vous semblez vraiment perdre la tête! (*Jean se précipite vers son lit, jette les couvertures par terre, prononce des paroles furieuses et incompréhensibles, fait entendre des sons inouïs.*) Mais ne soyez pas si furieux, calmez-vous! Je ne vous reconnais plus.

JEAN, *à peine distinctement.*

Chaud… trop chaud. Démolir tout cela, vêtements, ça gratte, vêtements, ça gratte.

> *Il fait tomber le pantalon de son pyjama.*

BÉRENGER

Que faites-vous ? Je ne vous reconnais plus !
Vous, si pudique d'habitude !

JEAN

Les marécages ! les marécages !…

BÉRENGER

Regardez-moi ! Vous ne semblez plus me voir !
Vous ne semblez plus m'entendre !

JEAN

Je vous entends très bien ! Je vous vois très
bien !

> *Il fonce vers Bérenger tête baissée. Celui-ci
> s'écarte.*

BÉRENGER

Attention !

JEAN, *soufflant bruyamment.*

Pardon !

> *Puis il se précipite à toute vitesse dans la
> salle de bains.*

*BÉRENGER fait mine de fuir vers la porte de
gauche, puis fait demi-tour et va dans la
salle de bains à la suite de Jean, en
disant :*

Je ne peux tout de même pas le laisser comme
cela, c'est un ami. (*De la salle de bains.*) Je vais
appeler le médecin! C'est indispensable, indispensable, croyez-moi.

JEAN, *dans la salle de bains.*

Non.

BÉRENGER, *dans la salle de bains.*

Si. Calmez-vous, Jean! Vous êtes ridicule. Oh!
votre corne s'allonge à vue d'œil!... Vous êtes rhinocéros.

JEAN, *dans la salle de bains.*

Je te piétinerai, je te piétinerai.

*Grand bruit dans la salle de bains, bar-
rissements, bruits d'objets et d'une glace qui
tombe et se brise; puis on voit apparaître
Bérenger tout effrayé qui ferme avec peine la
porte de la salle de bains, malgré la poussée
contraire que l'on devine.*

BÉRENGER, *poussant la porte.*

Il est rhinocéros, il est rhinocéros! (*Bérenger a
réussi à fermer la porte. Son veston est troué par une
corne. Au moment où Bérenger a réussi à fermer la porte,
la corne du rhinocéros a traversé celle-ci. Tandis que la
porte s'ébranle sous la poussée continuelle de l'animal, et*

que le vacarme dans la salle de bains continue et que l'on entend des barrissements mêlés à des mots à peine distincts, comme : je rage, salaud, etc., Bérenger se pré-cipite vers la porte de droite.) Jamais je n'aurais cru ça de lui ! (*Il ouvre la porte donnant sur l'escalier, et va frapper à la porte sur le palier, à coups de poing répé-tés.*) Vous avez un rhinocéros dans l'immeuble ! Appelez la police !

LE PETIT VIEUX, *sortant sa tête.*

Qu'est-ce que vous avez ?

BÉRENGER

Appelez la police ! Vous avez un rhinocéros dans la maison !…

VOIX DE LA FEMME DU PETIT VIEUX

Qu'est-ce qu'il y a, Jean ? Pourquoi fais-tu du bruit ?

LE PETIT VIEUX, *à sa femme.*

Je ne sais pas ce qu'il raconte. Il a vu un rhino-céros.

BÉRENGER

Oui, dans la maison. Appelez la police !

LE PETIT VIEUX

Qu'est-ce que vous avez à déranger les gens comme cela ? En voilà des manières !

Il lui ferme la porte au nez.

BÉRENGER, *se précipitant dans l'escalier.*

Concierge, concierge, vous avez un rhinocéros
dans la maison, appelez la police ! Concierge !
(*On voit s'ouvrir le haut de la porte de la loge de la
concierge; apparaît une tête de rhinocéros.*) Encore
un ! (*Bérenger remonte à toute allure les marches de l'escalier. Il veut entrer dans la chambre de Jean, hésite,
puis se dirige de nouveau vers la porte du Petit Vieux.
À ce moment la porte du Petit Vieux s'ouvre et appa-
raissent deux petites têtes de rhinocéros.*) Mon Dieu !
Ciel ! (*Bérenger entre dans la chambre de Jean tandis
que la porte de la salle de bains continue d'être secouée.
Bérenger se dirige vers la fenêtre, qui est indiquée par un
simple encadrement, sur le devant de la scène, face au
public. Il est à bout de force, manque de défaillir, bre-
douille :*) Ah mon Dieu ! Ah mon Dieu ! (*Il fait un
grand effort, se met à enjamber la fenêtre, passe presque
de l'autre côté, c'est-à-dire vers la salle, et remonte vivement, car au même instant au voit apparaître, de la
fosse d'orchestre, la parcourant à toute vitesse, une
grande quantité de cornes de rhinocéros à la file. Bérenger remonte le plus vite qu'il peut et regarde un instant
par la fenêtre.*) Il y en a tout un troupeau maintenant dans la rue ! Une armée de rhinocéros, ils
dévalent l'avenue en pente !... (*Il regarde de tous les
côtés.*) Par où sortir, par où sortir !... Si encore ils
se contentaient du milieu de la rue ! Ils débordent
sur le trottoir, par où sortir, par où partir ! (*Affolé,
il se dirige vers toutes les portes, et vers la fenêtre, tour à
tour, tandis que la porte de la salle de bains continue de
s'ébranler et que l'on entend Jean barrir et proférer des
injures incompréhensibles. Le jeu continue quelques ins-*

tants : *chaque fois que dans ses tentatives désordonnées de fuite, Bérenger se trouve devant la porte des Vieux, ou sur les marches de l'escalier, il est accueilli par des têtes de rhinocéros qui barrissent et le font reculer. Il va une dernière fois vers la fenêtre, regarde.*) Tout un troupeau de rhinocéros! Et on disait que c'est un animal solitaire! C'est faux, il faut réviser cette conception! Ils ont démoli tous les bancs de l'avenue. (*Il se tord les mains.*) Comment faire? (*Il se dirige de nouveau vers les différentes sorties, mais la vue des rhinocéros l'en empêche. Lorsqu'il se trouve de nouveau devant la porte de la salle de bains, celle-ci menace de céder. Bérenger se jette contre le mur du fond qui cède; on voit la rue dans le fond, il s'enfuit en criant.*) Rhinocéros! Rhinocéros! (*Bruits, la porte de la salle de bains va céder.*)

RIDEAU

ACTE III

Décor

À peu près la même plantation qu'au tableau précédent. C'est la chambre de Bérenger, qui ressemble étonnamment à celle de Jean. Quelques détails seulement, un ou deux meubles en plus indiqueront qu'il s'agit d'une autre chambre. L'escalier à gauche, palier. Porte au fond du palier. Il n'y a pas la loge de la concierge. Divan au fond. Bérenger est allongé sur son divan, dos au public. Un fauteuil, une petite table avec téléphone. Une table supplémentaire peut-être, et une chaise. Fenêtre au fond, ouverte. Encadrement d'une fenêtre à l'avant-scène. Bérenger est habillé sur son divan. Il a la tête bandée. Il doit faire de mauvais rêves, car il s'agite dans son sommeil.

BÉRENGER

Non. (*Pause.*) Les cornes, gare aux cornes! (*Pause. On entend les bruits d'un assez grand nombre de rhinocéros qui passent sous la fenêtre du fond.*) Non! (*Il tombe par terre, en se débattant contre ce qu'il*

*voit en rêve, et se réveille. Il met la main à son front,
l'air effrayé, puis se dirige vers la glace, soulève son bandage tandis que les bruits s'éloignent. Il pousse un sou-
pir de soulagement car il s'aperçoit qu'il n'a pas de
bosse. Il hésite, va vers le divan, s'allonge, puis se relève
tout de suite. Il se dirige vers la table d'où il prend une
bouteille de cognac et un verre, fait mine de se verser à
boire. Puis après un court débat muet, il va de nouveau
poser la bouteille et le verre à leur place.)* De la
volonté, de la volonté[1]. *(Il veut se diriger de nouveau
vers son divan, mais on entend de nouveau la course
des rhinocéros sous la fenêtre du fond. Bérenger met
la main à son cœur.)* Oh! *(Il se dirige vers la fenêtre
du fond, regarde un instant, puis, avec énervement,
il ferme la fenêtre du fond. Les bruits cessent, il se
dirige vers la petite table, hésite un instant, puis, avec
un geste qui signifie : «tant pis», il se verse à boire
un grand verre de cognac qu'il boit d'un trait. Il remet
la bouteille et le verre en place. Il tousse. Sa propre
toux a l'air de l'inquiéter, il tousse encore, et s'écoute
tousser. Il se regarde de nouveau une seconde dans la
glace, en toussant, ouvre la fenêtre, les souffles des
fauves s'entendent plus fort, il tousse de nouveau.)*
Non. Pas pareil!

> *Il se calme, ferme la fenêtre, se tâte le front
> par-dessus son bandage, va vers son divan,
> a l'air de s'endormir. On voit Dudard
> monter les dernières marches de l'escalier,
> arriver sur le palier et frapper à la porte de
> Bérenger.*

BÉRENGER, *sursautant.*

Qu'est-ce qu'il y a?

DUDARD

Je suis venu vous voir, Bérenger, je suis venu
vous voir.

BÉRENGER

Qui est là?

DUDARD

C'est moi, c'est moi.

BÉRENGER

Qui ça, moi?

DUDARD

Moi, Dudard.

BÉRENGER

Ah! c'est vous, entrez.

DUDARD

Je ne vous dérange pas? (*Il essaye d'ouvrir.*) La
porte est fermée.

BÉRENGER

Une seconde. Ah! là là.

> *Il va ouvrir, Dudard entre.*

DUDARD

Bonjour, Bérenger.

BÉRENGER

Bonjour, Dudard, quelle heure est-il?

DUDARD

Alors, toujours là, à rester barricadé chez vous. Allez-vous mieux, mon cher?

BÉRENGER

Excusez-moi, je ne reconnaissais pas votre voix. (*Bérenger va aussi ouvrir la fenêtre.*) Oui, oui, ça va un peu mieux, j'espère.

DUDARD

Ma voix n'a pas changé. Moi, j'ai bien reconnu la vôtre.

BÉRENGER

Excusez-moi, il m'avait semblé… en effet, votre voix est bien la même. Ma voix non plus n'a pas changé, n'est-ce pas?

DUDARD

Pourquoi aurait-elle changé?

BÉRENGER

Je ne suis pas un peu… un peu enroué?

DUDARD

Je n'ai pas du tout cette impression.

BÉRENGER

Tant mieux. Vous me rassurez.

DUDARD

Qu'est-ce qu'il vous prend?

BÉRENGER

Je ne sais pas, on ne sait jamais. Une voix peut changer, cela arrive, hélas!

DUDARD

Auriez-vous attrapé froid aussi?

BÉRENGER

J'espère bien que non, mais asseyez-vous, Dudard, installez-vous. Prenez le fauteuil.

DUDARD, *s'installant dans le fauteuil.*

Vous ne vous sentez toujours pas bien? Vous avez toujours mal à la tête?

Il montre le bandage de Bérenger.

BÉRENGER

Mais oui, j'ai toujours mal à la tête. Mais je n'ai pas de bosse, je ne me suis pas cogné!... n'est-ce pas?

Il soulève son bandage, montre son front à Dudard.

DUDARD

Non, vous n'avez pas de bosse. Je n'en vois pas.

BÉRENGER

Je n'en aurai jamais, j'espère. Jamais.

DUDARD

Si vous ne vous cognez pas, comment pourriez-vous en avoir?

BÉRENGER

Si on ne veut vraiment pas se cogner, on ne se
cogne pas!

DUDARD

Évidemment. Il s'agit de faire attention. Qu'est-
ce que vous avez donc? Vous êtes nerveux, agité.
C'est évidemment à cause de votre migraine. Ne
bougez plus, vous aurez moins mal.

BÉRENGER

Une migraine? Ne me parlez pas de migraine!
N'en parlez pas.

DUDARD

C'est explicable que vous ayez des migraines,
après votre émotion.

BÉRENGER

J'ai du mal à me remettre!

DUDARD

Alors, il n'y a rien d'extraordinaire à ce que
vous ayez mal à la tête.

BÉRENGER, *se précipitant devant la glace,*
soulevant son bandage.

Non, rien... Vous savez, c'est comme cela que
ça peut commencer.

DUDARD

Qu'est-ce qui peut commencer?

BÉRENGER

… J'ai peur de devenir un autre.

DUDARD

Tranquillisez-vous donc, asseyez-vous. À par-
courir la pièce d'un bout à l'autre, cela ne peut
que vous énerver davantage.

BÉRENGER

Oui, vous avez raison, du calme. (*Il va s'asseoir.*)
Je n'en reviens pas, vous savez.

DUDARD

À cause de Jean, je le sais.

BÉRENGER

Oui. À cause de Jean, bien sûr, à cause des
autres aussi.

DUDARD

Je comprends que vous ayez été choqué.

BÉRENGER

On le serait à moins, vous l'admettez !

DUDARD

Enfin, tout de même, il ne faut pourtant pas
exagérer, ce n'est pas une raison pour vous de…

BÉRENGER

J'aurais voulu vous y voir. Jean était mon
meilleur ami. Et ce revirement qui s'est produit
sous mes yeux, sa colère !

DUDARD

D'accord. Vous avez été déçu, c'est entendu. N'y pensez plus.

BÉRENGER

Comment pourrais-je ne pas y penser! Ce garçon si humain, grand défenseur de l'humanisme! Qui l'eût cru! Lui, lui! On se connaissait depuis... depuis toujours. Jamais je ne me serais douté qu'il aurait évolué de cette façon. J'étais plus sûr de lui que de moi-même!... Me faire ça, à moi.

DUDARD

Cela n'était sans doute pas dirigé spécialement contre vous!

BÉRENGER

Cela en avait bien l'air pourtant. Si vous aviez vu dans quel état... l'expression de sa figure...

DUDARD

C'est parce que c'est vous qui vous trouviez par hasard chez lui. Avec n'importe qui cela se serait passé de la même façon.

BÉRENGER

Devant moi, étant donné notre passé commun, il aurait pu se retenir.

DUDARD

Vous vous croyez le centre du monde, vous croyez que tout ce qui arrive vous concerne per-

sonnellement! Vous n'êtes pas la cible universelle!

BÉRENGER

C'est peut-être juste. Je vais tâcher de me rai-
sonner. Cependant le phénomène en soi est
inquiétant. Moi, à vrai dire, cela me bouleverse.
Comment l'expliquer?

DUDARD

Pour le moment, je ne trouve pas encore une
explication satisfaisante. Je constate les faits, je les
enregistre. Cela existe, donc cela doit pouvoir
s'expliquer. Des curiosités de la nature, des bizar-
reries, des extravagances, un jeu, qui sait?

BÉRENGER

Jean était très orgueilleux. Moi, je n'ai pas
d'ambition. Je me contente de ce que je suis.

DUDARD

Peut-être aimait-il l'air pur, la campagne, l'espace… peut-être avait-il besoin de se détendre. Je
ne dis pas ça pour l'excuser…

BÉRENGER

Je vous comprends, enfin j'essaye. Pourtant,
même si on m'accusait de ne pas avoir l'esprit
sportif ou d'être un petit-bourgeois, figé dans son
univers clos, je resterais sur mes positions.

DUDARD

Nous resterons tous les mêmes, bien sûr. Alors

pourquoi vous inquiétez-vous pour quelques cas
de rhinocérite ? Cela peut être aussi une maladie.

BÉRENGER

Justement, j'ai peur de la contagion.

DUDARD

Oh ! n'y pensez plus. Vraiment, vous attachez
trop d'importance à la chose. L'exemple de Jean
n'est pas symptomatique, n'est pas représentatif,
vous avez dit vous-même que Jean était orgueilleux.
À mon avis, excusez-moi de dire du mal de votre
ami, c'était un excité, un peu sauvage, un excen-
trique, on ne prend pas en considération les ori-
ginaux. C'est la moyenne qui compte.

BÉRENGER

Alors cela s'éclaire. Vous voyez, vous ne pouviez
pas expliquer le phénomène. Eh bien, voilà, vous
venez de me donner une explication plausible.
Oui, pour s'être mis dans cet état, il a certainement
dû avoir une crise, un accès de folie… Et pourtant,
il avait des arguments, il semblait avoir réfléchi à
la question, mûri sa décision… Mais Bœuf, Bœuf,
était-il fou lui aussi ?… et les autres, les autres ?…

DUDARD

Il reste l'hypothèse de l'épidémie. C'est comme
la grippe. Ça c'est déjà vu des épidémies.

BÉRENGER

Elles n'ont jamais ressemblé à celle-ci. Et si ça
venait des colonies ?

DUDARD

En tout cas, vous ne pouvez pas prétendre que Bœuf et les autres, eux aussi, ont fait ce qu'ils ont fait, ou sont devenus ce qu'ils sont devenus, exprès pour vous ennuyer. Ils ne se seraient pas donné ce mal.

BÉRENGER

C'est vrai, c'est sensé ce que vous dites, c'est une parole rassurante... ou peut-être, au contraire, cela est-il plus grave encore? (*On entend des rhinocéros galoper sous la fenêtre du fond.*) Tenez, vous entendez? (*Il se précipite vers la fenêtre.*)

DUDARD

Laissez-les donc tranquilles! (*Bérenger referme la fenêtre.*) En quoi vous gênent-ils? Vraiment, ils vous obsèdent. Ce n'est pas bien. Vous vous épuisez nerveusement. Vous avez eu un choc, c'est entendu! N'en cherchez pas d'autres. Maintenant, tâchez tout simplement de vous rétablir.

BÉRENGER

Je me demande si je suis bien immunisé.

DUDARD

De toute façon, ce n'est pas mortel. Il y a des maladies qui sont saines[1]. Je suis convaincu qu'on en guérit si on veut. Ça leur passera, allez.

BÉRENGER

Ça doit certainement laisser des traces! Un tel déséquilibre organique ne peut pas ne pas en laisser...

DUDARD

C'est passager, ne vous en faites pas.

BÉRENGER

Vous en êtes convaincu?

DUDARD

Je le crois, oui, je le suppose.

BÉRENGER

Mais si on ne veut vraiment pas, n'est-ce pas, si on ne veut vraiment pas attraper ce mal qui est un mal nerveux, on ne l'attrape pas, on ne l'attrape pas!... Voulez-vous un verre de cognac?

> *Il se dirige vers la table où se trouve la bouteille.*

DUDARD

Ne vous dérangez pas, je n'en prends pas, merci. Qu'à cela ne tienne, si vous voulez en prendre, allez-y, ne vous gênez pas pour moi, mais attention, vous aurez encore plus mal à la tête après.

BÉRENGER

L'alcool est bon contre les épidémies. Ça m'immunise. Par exemple, ça tue les microbes de la grippe.

DUDARD

Ça ne tue peut-être pas tous les microbes de toutes les maladies. Pour la rhinocérite, on ne peut pas encore savoir.

BÉRENGER

Jean ne buvait jamais d'alcool. Il le prétendait. C'est peut-être pour cela qu'il… c'est peut-être cela qui explique son attitude. (*Il tend un verre plein à Dudard.*) Vous n'en voulez vraiment pas?

DUDARD

Non, non, jamais avant le déjeuner. Merci.

> *Bérenger vide son verre, continuant de le tenir à la main ainsi que la bouteille; il tousse.*

DUDARD

Vous voyez, vous voyez, vous ne le supportez pas. Ça vous fait tousser.

BÉRENGER, *inquiet.*

Oui, ça m'a fait tousser. Comment ai-je toussé?

DUDARD

Comme tout le monde, quand on boit quelque chose d'un peu fort.

BÉRENGER, *allant déposer le verre et la bouteille sur la table.*

Ce n'était pas une toux étrange? C'était bien une véritable toux humaine?

DUDARD

Qu'allez-vous chercher? C'était une toux humaine. Quel autre genre de toux cela aurait-il pu être?

BÉRENGER

Je ne sais pas… Une toux d'animal, peut-être…
Est-ce que ça tousse un rhinocéros ?

DUDARD

Voyons, Bérenger, vous êtes ridicule, vous vous
créez des problèmes, vous vous posez des questions saugrenues… Je vous rappelle que vous pré-
cisiez vous-même que la meilleure façon de se
défendre contre la chose c'est d'avoir de la
volonté.

BÉRENGER

Oui, bien sûr.

DUDARD

Eh bien, prouvez que vous en avez.

BÉRENGER

Je vous assure que j'en ai…

DUDARD

… Prouvez-le à vous-même, tenez, ne buvez
plus de cognac… vous serez plus sûr de vous.

BÉRENGER

Vous ne voulez pas me comprendre. Je vous
répète que c'est tout simplement parce que cela
préserve du pire que j'en prends, oui, c'est calculé. Quand il n'y aura plus d'épidémie, je ne boi-
rai plus. J'avais déjà pris cette décision avant les
événements. Je la reporte, provisoirement !

DUDARD

Vous vous donnez des excuses.

BÉRENGER

Ah oui, vous croyez?... En tout cas, cela n'a rien à voir avec ce qui se passe.

DUDARD

Sait-on jamais?

BÉRENGER, *effrayé.*

Vous le pensez vraiment? Vous croyez que cela prépare le terrain! Je ne suis pas alcoolique. (*Il se dirige vers la glace; s'y observe.*) Est-ce que par hasard... (*Il met la main sur sa figure, tâte son front par-dessus le bandage.*) Rien n'est changé, ça ne m'a pas fait de mal, c'est la preuve que ça a du bon... ou du moins que c'est inoffensif.

DUDARD

Je plaisantais, Bérenger, voyons. Je vous taquinais. Vous voyez tout en noir, vous allez devenir neurasthénique, attention. Lorsque vous serez tout à fait rétabli de votre choc, de votre dépression, et que vous pourrez sortir, prendre un peu d'air, ça ira mieux, vous allez voir. Vos idées sombres s'évanouiront.

BÉRENGER

Sortir? Il faudra bien. J'appréhende ce moment. Je vais certainement en rencontrer...

DUDARD

Et alors ? Vous n'avez qu'à éviter de vous mettre sur leur passage. Ils ne sont pas tellement nombreux d'ailleurs.

BÉRENGER

Je ne vois qu'eux. Vous allez dire que c'est morbide de ma part.

DUDARD

Ils ne vous attaquent pas. Si on les laisse tranquilles, ils vous ignorent. Dans le fond, ils ne sont pas méchants. Il y a même chez eux une certaine innocence naturelle, oui ; de la candeur. D'ailleurs, j'ai parcouru moi-même, à pied, toute l'avenue pour venir chez vous. Vous voyez, je suis sain et sauf, je n'ai eu aucun ennui.

BÉRENGER

Rien qu'à les voir, moi ça me bouleverse. C'est nerveux. Ça ne me met pas en colère, non, on ne doit pas se mettre en colère, ça peut mener loin, la colère, je m'en préserve, mais cela me fait quelque chose là (*il montre son cœur*), cela me serre le cœur.

DUDARD

Jusqu'à un certain point, vous avez raison d'être impressionné. Vous l'êtes trop, cependant. Vous manquez d'humour, c'est votre défaut, vous manquez d'humour. Il faut prendre les choses à la légère, avec détachement.

BÉRENGER

Je me sens solidaire de tout ce qui arrive. Je prends part, je ne peux pas rester indifférent.

DUDARD

Ne jugez pas les autres, si vous ne voulez pas être jugé. Et puis si on se faisait des soucis pour tout ce qui se passe, on ne pourrait plus vivre.

BÉRENGER

Si cela s'était passé ailleurs, dans un autre pays et qu'on eût appris cela par les journaux, on pourrait discuter paisiblement de la chose, étudier la question sur toutes ses faces, en tirer objectivement des conclusions. On organiserait des débats académiques, on ferait venir des savants, des écrivains, des hommes de loi, des femmes savantes, des artistes. Des hommes de la rue aussi, ce serait intéressant, passionnant, instructif. Mais quand vous êtes pris vous-même dans l'événement, quand vous êtes mis tout à coup devant la réalité brutale des faits, on ne peut pas ne pas se sentir concerné directement, on est trop violemment surpris pour garder tout son sang-froid. Moi, je suis surpris, je suis surpris, je suis surpris ! Je n'en reviens pas.

DUDARD

Moi aussi, j'ai été surpris, comme vous. Ou plutôt je l'étais. Je commence déjà à m'habituer.

BÉRENGER

Vous avez un système nerveux mieux équilibré

que le mien. Je vous en félicite. Mais vous ne trouvez pas que c'est malheureux...

DUDARD, *l'interrompant.*

Je ne dis certainement pas que c'est un bien. Et ne croyez pas que je prenne parti à fond pour les rhinocéros...

Nouveaux bruits de rhinocéros passant, cette fois, sous l'encadrement de la fenêtre à l'avant-scène.

BÉRENGER, *sursautant.*

Les voilà encore ! Les voilà encore ! Ah ! non, rien à faire, moi je ne peux pas m'y habituer. J'ai tort peut-être. Ils me préoccupent tellement malgré moi que cela m'empêche de dormir. J'ai des insomnies. Je somnole dans la journée quand je suis à bout de fatigue.

DUDARD

Prenez des somnifères.

BÉRENGER

Ce n'est pas une solution. Si je dors, c'est pire. J'en rêve la nuit, j'ai des cauchemars.

DUDARD

Voilà ce que c'est que de prendre les choses trop à cœur. Vous aimez bien vous torturer. Avouez-le.

BÉRENGER

Je vous jure que je ne suis pas masochiste.

DUDARD

Alors, assimilez la chose et dépassez-la. Puisqu'il en est ainsi, c'est qu'il ne peut en être autrement.

BÉRENGER

C'est du fatalisme.

DUDARD

C'est de la sagesse. Lorsqu'un tel phénomène se produit, il a certainement une raison de se produire. C'est cette cause qu'il faut discerner.

BÉRENGER, *se levant.*

Eh bien, moi, je ne veux pas accepter cette situation.

DUDARD

Que pouvez-vous faire ? Que comptez-vous faire ?

BÉRENGER

Pour le moment, je ne sais pas. Je réfléchirai. J'enverrai des lettres aux journaux, j'écrirai des manifestes, je solliciterai une audience au maire, à son adjoint, si le maire est trop occupé.

DUDARD

Laissez les autorités réagir d'elles-mêmes ! Après tout je me demande si, moralement, vous avez le droit de vous mêler de l'affaire. D'ailleurs, je continue de penser que ce n'est pas grave. À mon avis, il est absurde de s'affoler pour quelques personnes qui ont voulu changer de peau. Ils ne se sentaient pas bien dans la leur. Ils sont bien libres, ça les regarde.

BÉRENGER

Il faut couper le mal à la racine.

DUDARD

Le mal, le mal ! Parole creuse ! Peut-on savoir où est le mal, où est le bien ? Nous avons des préférences, évidemment. Vous craignez surtout pour vous. C'est ça la vérité, mais vous ne deviendrez jamais rhinocéros, vraiment... vous n'avez pas la vocation !

BÉRENGER

Et voilà, et voilà ! Si les dirigeants et nos concitoyens pensent tous comme vous, ils ne se décideront pas à agir.

DUDARD

Vous n'allez tout de même pas demander l'aide de l'étranger. Ceci est une affaire intérieure, elle concerne uniquement notre pays.

BÉRENGER

Je crois à la solidarité internationale...

DUDARD

Vous êtes un Don Quichotte ! Ah ! je ne dis pas cela méchamment, je ne vous offense pas ! C'est pour votre bien, vous le savez, car, décidément, vous devez vous calmer.

BÉRENGER

Je n'en doute pas, excusez-moi. Je suis trop anxieux. Je me corrigerai. Je m'excuse aussi de vous retenir, de vous obliger à écouter mes divagations. Vous avez sans doute du travail. Avez-vous reçu ma demande de congé de maladie ?

DUDARD

Ne vous inquiétez pas. C'est en ordre. D'ailleurs, le bureau n'a pas repris son activité.

BÉRENGER

On n'a pas encore réparé l'escalier ? Quelle négligence ! C'est pour cela que tout va mal.

DUDARD

On est en train de réparer. Ça ne va pas vite. Il n'est pas facile de trouver des ouvriers. Ils viennent s'embaucher, ils travaillent un jour ou deux, et puis ils s'en vont. On ne les voit plus. Il faut en chercher d'autres.

BÉRENGER

Et on se plaint du chômage ! J'espère au moins qu'on aura un escalier en ciment.

DUDARD

Non, en bois toujours, mais du bois neuf.

BÉRENGER

Ah ! la routine des administrations. Elles gaspillent de l'argent et quand il s'agit d'une dépense utile, elles prétendent qu'il n'y a pas de fonds suf-

fisants. M. Papillon ne doit pas être content. Il y
tenait beaucoup à son escalier en ciment. Qu'est-
ce qu'il en pense ?

DUDARD

Nous n'avons plus de chef. M. Papillon a donné
sa démission.

BÉRENGER

Pas possible !

DUDARD

Puisque je vous le dis.

BÉRENGER

Cela m'étonne… C'est à cause de cette histoire
d'escalier ?

DUDARD

Je ne crois pas. En tout cas, ce n'est pas la raison qu'il en a donnée.

BÉRENGER

Pourquoi donc alors ? Qu'est-ce qu'il lui prend ?

DUDARD

Il veut se retirer à la campagne.

BÉRENGER

Il prend sa retraite ? Il n'a pourtant pas l'âge, il
pouvait encore devenir directeur.

DUDARD

Il y a renoncé. Il prétendait qu'il avait besoin de repos.

BÉRENGER

La direction générale doit être bien ennuyée de ne plus l'avoir, il faudra le remplacer. C'est tant mieux pour vous, avec vos diplômes, vous avez votre chance.

DUDARD

Pour ne rien vous cacher... c'est assez drôle, il est devenu rhinocéros.

Bruits lointains de rhinocéros.

BÉRENGER

Rhinocéros! M. Papillon est devenu rhinocéros! Ah! ça par exemple! Ça par exemple!... Moi, je ne trouve pas cela drôle! Pourquoi ne me l'avez-vous pas dit plus tôt?

DUDARD

Vous voyez bien que vous n'avez pas d'humour. Je ne voulais pas vous le dire... je ne voulais pas vous le dire parce que, tel que je vous connais, je savais que vous ne trouveriez pas cela drôle, et que cela vous frapperait. Impressionnable comme vous l'êtes!

BÉRENGER, *levant les bras au ciel.*

Ah! ça, ah! ça... M. Papillon!... Et il avait une si belle situation.

DUDARD

Cela prouve tout de même la sincérité de sa métamorphose

BÉRENGER

Il n'a pas dû le faire exprès, je suis convaincu qu'il s'agit là d'un changement involontaire.

DUDARD

Qu'en savons-nous? Il est difficile de connaître les raisons secrètes des décisions des gens.

BÉRENGER

Ça doit être un acte manqué. Il avait des complexes cachés. Il aurait dû se faire psychanalyser.

DUDARD

Même si c'est un transfert, cela peut être révélateur. Chacun trouve la sublimation qu'il peut.

BÉRENGER

Il s'est laissé entraîner, j'en suis sûr.

DUDARD

Cela peut arriver à n'importe qui!

BÉRENGER, *effrayé*.

À n'importe qui? Ah! non, pas à vous, n'est-ce pas, pas à vous? Pas à moi!

DUDARD

Je l'espère.

BÉRENGER

Puisqu'on ne veut pas... n'est-ce pas... n'est-ce
pas... dites ? n'est-ce pas, n'est-ce pas ?

DUDARD

Mais oui, mais oui...

BÉRENGER, *se calmant un peu.*

Je pensais tout de même que M. Papillon aurait
eu la force de mieux résister. Je croyais qu'il avait
un peu plus de caractère !... D'autant plus que je
ne vois pas quel est son intérêt, son intérêt maté-
riel, son intérêt moral...

DUDARD

Son geste est désintéressé. C'est évident.

BÉRENGER

Bien sûr. C'est une circonstance atténuante...
ou aggravante ? Aggravante plutôt, je crois, car
s'il a fait cela par goût... Vous voyez, je suis
convaincu que Botard a dû juger son comportement avec sévérité ; qu'est-ce qu'il en pense, lui,
qu'est-ce qu'il en pense de son chef ?

DUDARD

Ce pauvre M. Botard, il était indigné, il était
outré. J'ai rarement vu quelqu'un de plus exaspéré.

BÉRENGER

Eh bien, cette fois je ne lui donne pas tort.
Ah ! Botard, c'est tout de même quelqu'un. Un
homme sensé. Et moi qui le jugeais mal.

DUDARD

Lui aussi vous jugeait mal.

BÉRENGER

Cela prouve mon objectivité dans l'affaire actuelle. D'ailleurs, vous aviez vous-même une mauvaise opinion de lui.

DUDARD

Une mauvaise opinion… ce n'est pas le mot. Je dois dire que je n'étais pas souvent d'accord avec lui. Son scepticisme, son incrédulité, sa méfiance me déplaisaient. Cette fois non plus, je ne lui ai pas donné toute mon approbation.

BÉRENGER

Pour des raisons opposées, à présent.

DUDARD

Non. Ce n'est pas exactement cela, mon raisonnement, mon jugement est tout de même un peu plus nuancé que vous ne semblez le croire. C'est parce qu'en fait Botard n'avait guère d'arguments précis et objectifs. Je vous répète que je n'approuve pas non plus les rhinocéros, non, pas du tout, ne pensez pas cela. Seulement, l'attitude de Botard était comme toujours trop passionnelle, donc simpliste. Sa prise de position me semble uniquement dictée par la haine de ses supérieurs. Donc, complexe d'infériorité, ressentiment. Et puis, il parle en clichés, les lieux communs ne me touchent pas.

BÉRENGER

Eh bien, cette fois, je suis tout à fait d'accord avec Botard, ne vous en déplaise. C'est un brave type. Voilà.

DUDARD

Je ne le nie pas, mais cela ne veut rien dire.

BÉRENGER

Oui, un brave type ! Ça ne se trouve pas souvent les braves types, et pas dans les nuages. Un brave type avec ses quatre pieds sur terre ; pardon, ses deux pieds, je veux dire. Je suis heureux de me sentir en parfait accord avec lui. Quand je le verrai, je le féliciterai. Je condamne M. Papillon. Il avait le devoir de ne pas succomber.

DUDARD

Que vous êtes intolérant ! Peut-être Papillon a-t-il senti le besoin d'une détente après tant d'années de vie sédentaire.

BÉRENGER, *ironique.*

Vous, vous êtes trop tolérant, trop large d'esprit !

DUDARD

Mon cher Bérenger, il faut toujours essayer de comprendre. Et lorsqu'on veut comprendre un phénomène et ses effets, il faut remonter jusqu'à ses causes, par un effort intellectuel honnête. Mais il faut tâcher de le faire, car nous sommes des êtres pensants. Je n'ai pas réussi, je vous le répète, je ne sais pas si je réussirai. De toute façon, on doit avoir, au départ, un préjugé favorable, ou sinon, au moins une neutralité, une ouverture d'esprit qui est le propre de la mentalité scientifique. Tout est logique. Comprendre, c'est justifier.

BÉRENGER

Vous allez bientôt devenir un sympathisant des rhinocéros.

DUDARD

Mais non, mais non. Je n'irai pas jusque-là. Je suis tout simplement quelqu'un qui essaye de voir les choses en face, froidement. Je veux être réaliste. Je me dis aussi qu'il n'y a pas de vices véritables dans ce qui est naturel. Malheur à celui qui voit le vice partout[1]. C'est le propre des inquisiteurs.

BÉRENGER

Vous trouvez, vous, que c'est naturel?

DUDARD

Quoi de plus naturel qu'un rhinocéros?

BÉRENGER

Oui, mais un homme qui devient rhinocéros, c'est indiscutablement anormal.

DUDARD

Oh! indiscutablement!... vous savez...

BÉRENGER

Oui, indiscutablement anormal, absolument anormal !

DUDARD

Vous me semblez bien sûr de vous. Peut-on savoir où s'arrête le normal, où commence l'anormal ? Vous pouvez définir ces notions, vous, normalité, anormalité ? Philosophiquement et médicalement, personne n'a pu résoudre le problème[1]. Vous devriez être au courant de la question.

BÉRENGER

Peut-être ne peut-on pas trancher philosophiquement cette question. Mais pratiquement, c'est facile. On vous démontre que le mouvement n'existe pas... et on marche, on marche, on marche... (*il se met à marcher d'un bout à l'autre de la pièce*)... on marche ou alors on se dit à soi-même, comme Galilée : « Eppur' si muove[2]... »

DUDARD

Vous mélangez tout dans votre tête ! Ne confondez pas, voyons. Dans le cas de Galilée, c'était au contraire la pensée théorique et scientifique qui avait raison contre le sens commun et le dogmatisme.

BÉRENGER, *perdu.*

Qu'est-ce que c'est que ces histoires ! Le sens commun, le dogmatisme, des mots, des mots ! Je mélange peut-être tout dans ma tête, mais vous,

vous la perdez. Vous ne savez plus ce qui est normal, ce qui ne l'est pas ! Vous m'assommez avec
votre Galilée... Je m'en moque de Galilée.

DUDARD

C'est vous-même qui l'avez cité et qui avez sou-
levé la question, en prétendant que la pratique
avait toujours le dernier mot. Elle l'a peut-être,
mais lorsqu'elle procède de la théorie ! L'histoire
de la pensée et de la science le prouve bien.

BÉRENGER, *de plus en plus furieux.*

Ça ne prouve rien du tout ! C'est du charabia,
c'est de la folie !

DUDARD

Encore faut-il savoir ce que c'est que la folie...

BÉRENGER

La folie, c'est la folie, na ! La folie, c'est la folie
tout court ! Tout le monde sait ce que c'est, la
folie. Et les rhinocéros, c'est de la pratique, ou de
la théorie ?

DUDARD

L'un et l'autre.

BÉRENGER

Comment l'un et l'autre !

DUDARD

L'un et l'autre ou l'un ou l'autre. C'est à
débattre !

BÉRENGER

Alors là, je… refuse de penser !

DUDARD

Vous vous mettez hors de vous. Nous n'avons pas tout à fait les mêmes opinions, nous en discutons paisiblement. On doit discuter.

BÉRENGER, *affolé*.

Vous croyez que je suis hors de moi ? On dirait que je suis Jean. Ah ! non, non, je ne veux pas devenir comme Jean. Ah ! non, je ne veux pas lui ressembler. (*Il se calme.*) Je ne suis pas calé en philosophie. Je n'ai pas fait d'études ; vous, vous avez des diplômes. Voilà pourquoi vous êtes plus à l'aise dans la discussion, moi, je ne sais quoi vous répondre, je suis maladroit. (*Bruits plus forts des rhinocéros, passant d'abord sous la fenêtre du fond, puis sous la fenêtre d'en face.*) Mais je sens, moi, que vous êtes dans votre tort… je le sens instinctivement, ou plutôt non, c'est le rhinocéros qui a de l'instinct, je le sens intuitivement, voilà le mot, intuitivement.

DUDARD

Qu'entendez-vous par intuitivement ?

BÉRENGER

Intuitivement, ça veut dire : … comme ça, na ! Je sens, comme ça, que votre tolérance excessive, votre généreuse indulgence… en réalité, croyez-moi, c'est de la faiblesse… de l'aveuglement…

DUDARD

C'est vous qui le prétendez, naïvement.

BÉRENGER

Avec moi, vous aurez toujours beau jeu. Mais écoutez, je vais tâcher de retrouver le Logicien...

DUDARD

Quel logicien?

BÉRENGER

Le Logicien, le philosophe, un logicien quoi... vous savez mieux que moi ce que c'est qu'un logicien. Un logicien que j'ai connu, qui m'a expliqué...

DUDARD

Que vous a-t-il expliqué?

BÉRENGER

Qui a expliqué que les rhinocéros asiatiques étaient africains, et que les rhinocéros africains étaient asiatiques.

DUDARD

Je saisis difficilement.

BÉRENGER

Non... non. Il nous a démontré le contraire, c'est-à-dire que les africains étaient asiatiques et que les asiatiques... je m'entends. Ce n'est pas ce que je voulais dire. Enfin, vous vous débrouillerez avec lui. C'est quelqu'un dans votre genre, quelqu'un de bien, un intellectuel subtil, érudit. (*Bruits grandissants des rhinocéros. Les paroles des deux personnages sont couvertes par les bruits des fauves qui passent sous les deux fenêtres; pendant un court instant, on voit bouger les lèvres de Dudard et Bérenger, sans qu'on puisse les entendre.*) Encore eux! Ah! ça n'en finira pas! (*Il court à la fenêtre du fond.*) Assez! Assez! Salauds!

> *Les rhinocéros s'éloignent, Bérenger montre le poing dans leur direction.*

DUDARD, *assis.*

Je veux bien le connaître, votre Logicien. S'il veut m'éclairer sur ces points délicats, délicats et obscurs... Je ne demande pas mieux, ma foi.

BÉRENGER, *tout en courant à la fenêtre face à la scène.*

Oui, je vous l'amènerai, il vous parlera. Vous verrez, c'est une personnalité distinguée. (*En direction des rhinocéros, à la fenêtre :*) Salauds!

> *Même jeu que tout à l'heure.*

DUDARD

Laissez-les courir. Et soyez plus poli. On ne parle pas de la sorte à des créatures...

BÉRENGER, *toujours à la fenêtre.*

En revoilà! (*De la fosse d'orchestre, sous la fenêtre, on voit émerger un canotier transpercé par une corne de rhinocéros qui, de gauche, disparaît très vite vers la droite.*) Un canotier empalé sur la corne du rhino-

céros! Ah! c'est le canotier du Logicien! Le canotier du Logicien! Mille fois merde, le Logicien est
devenu rhinocéros!

DUDARD

Ce n'est pas une raison pour être grossier!

BÉRENGER

À qui se fier, mon Dieu, à qui se fier! Le Logicien est rhinocéros!

DUDARD, *allant vers la fenêtre.*

Où est-il?

BÉRENGER, *montrant du doigt.*

Là, celui-là, vous voyez!

DUDARD

C'est le seul rhinocéros à canotier. Cela vous
laisse rêveur. C'est bien votre Logicien!...

BÉRENGER

Le Logicien... rhinocéros!

DUDARD

Il a tout de même conservé un vestige de son
ancienne individualité!

BÉRENGER, *il montre de nouveau le poing
en direction du rhinocéros à canotier
qui a disparu.*

Je ne vous suivrai pas! je ne vous suivrai pas!

DUDARD

Si vous dites que c'était un penseur authentique, il n'a pas dû se laisser emporter. Il a dû bien peser le pour et le contre, avant de choisir.

BÉRENGER, *toujours criant à la fenêtre en direction de l'ex-Logicien et des autres rhinocéros qui se sont éloignés.*

Je ne vous suivrai pas !

DUDARD, *s'installant dans son fauteuil.*

Oui, cela donne à réfléchir !

Bérenger ferme la fenêtre en face, se dirige vers la fenêtre du fond, par où passent d'autres rhinocéros qui, vraisemblablement, font le tour de la maison. Il ouvre la fenêtre, leur crie.

BÉRENGER

Non, je ne vous suivrai pas !

DUDARD, *à part dans son fauteuil.*

Ils tournent autour de la maison. Ils jouent ! De grands enfants ! (*Depuis quelques instants on a pu voir Daisy monter les dernières marches de l'escalier, à gauche. Elle frappe à la porte de Bérenger. Elle porte un panier sous son bras.*) On frappe, Bérenger, il y a quelqu'un !

Il tire par la manche Bérenger qui est toujours à la fenêtre.

BÉRENGER, *criant en direction des
rhinocéros.*

C'est une honte ! une honte, votre mascarade.

DUDARD

On frappe à votre porte, Bérenger, vous n'entendez pas ?

BÉRENGER

Ouvrez, si vous voulez !

> *Il continue de regarder les rhinocéros
> dont les bruits s'éloignent, sans plus rien
> dire. Dudard va ouvrir la porte.*

DAISY, *entrant.*

Bonjour, monsieur Dudard.

DUDARD

Tiens, vous, mademoiselle Daisy !

DAISY

Bérenger est là ? est-ce qu'il va mieux ?

DUDARD

Bonjour, chère Mademoiselle, vous venez donc
bien souvent chez Bérenger ?

DAISY

Où est-il ?

DUDARD, *le montrant du doigt.*

Là.

DAISY

Le pauvre, il n'a personne. Il est un peu malade aussi en ce moment, il faut bien l'aider un peu.

DUDARD

Vous êtes une bien bonne camarade, mademoiselle Daisy.

DAISY

Mais oui, je suis une bonne camarade, en effet.

DUDARD

Vous avez bon cœur.

DAISY

Je suis une bonne camarade, c'est tout.

BÉRENGER, *se retournant ; laissant la fenêtre ouverte.*

Oh ! chère mademoiselle Daisy ! Que c'est gentil à vous d'être venue, comme vous êtes aimable.

DUDARD

On ne peut le nier.

BÉRENGER

Vous savez, mademoiselle Daisy, le Logicien est rhinocéros !

DAISY

Je sais, je viens de l'apercevoir dans la rue, en arrivant. Il courait bien vite, pour quelqu'un de son âge ! Vous allez mieux, monsieur Bérenger ?

BÉRENGER, *à Daisy.*

La tête, encore la tête! mal à la tête! C'est effrayant. Qu'est-ce que vous en pensez?

DAISY

Je pense que vous devez vous reposer... rester chez vous quelques jours, calmement.

DUDARD, *à Bérenger et à Daisy.*

J'espère que je ne vous gêne pas!

BÉRENGER, *à Daisy.*

Je parle du Logicien...

DAISY, *à Dudard.*

Pourquoi nous gêneriez-vous? (*À Bérenger.*) Ah! le Logicien? Je n'en pense rien du tout!

DUDARD, *à Daisy.*

Je suis peut-être de trop?

DAISY, *à Bérenger.*

Que voulez-vous que j'en pense! (*À Bérenger et à Dudard.*) J'ai une nouvelle fraîche à vous donner : Botard est devenu rhinocéros.

DUDARD

Tiens!

BÉRENGER

Ce n'est pas possible! Il était contre. Vous devez confondre. Il avait protesté. Dudard vient de me le dire, à l'instant. N'est-ce pas, Dudard?

DUDARD

C'est exact.

DAISY

Je sais qu'il était contre. Pourtant, il est devenu tout de même rhinocéros, vingt-quatre heures après la transformation de M. Papillon.

DUDARD

Voilà! il a changé d'idée! Tout le monde a le droit d'évoluer.

BÉRENGER

Mais alors, alors on peut s'attendre à tout!

DUDARD, *à Bérenger.*

C'est un brave homme, d'après ce que vous affirmiez tout à l'heure.

BÉRENGER, *à Daisy.*

J'ai du mal à vous croire. On vous a menti.

DAISY

Je l'ai vu faire.

BÉRENGER

Alors, c'est lui qui a menti, il a fait semblant.

DAISY

Il avait l'air sincère, la sincérité même.

BÉRENGER

A-t-il donné une raison?

DAISY

Il a dit textuellement : il faut suivre son temps !
Ce furent ses dernières paroles humaines !

DUDARD, *à Daisy.*

J'étais presque sûr que j'allais vous rencontrer
ici, mademoiselle Daisy.

BÉRENGER

… Suivre son temps ! Quelle mentalité !

Il fait un grand geste.

DUDARD, *à Daisy.*

Impossible de vous rencontrer nulle part
ailleurs, depuis la fermeture du bureau.

BÉRENGER, *continuant à part.*

Quelle naïveté !

Même geste.

DAISY, *à Dudard.*

Si vous vouliez me voir, vous n'aviez qu'à me
téléphoner !

DUDARD, *à Daisy.*

… Oh ! je suis discret, discret, Mademoiselle,
moi.

BÉRENGER

Eh bien, réflexion faite, le coup de tête de
Botard ne m'étonne pas. Sa fermeté n'était qu'apparente. Ce qui ne l'empêche pas, bien sûr, d'être

ou d'avoir été un brave homme. Les braves hommes font les braves rhinocéros. Hélas ! C'est parce qu'ils sont de bonne foi, on peut les duper

DAISY

Permettez-moi de mettre ce panier sur la table.

Elle met le panier sur la table.

BÉRENGER

Mais c'était un brave homme qui avait des ressentiments...

DUDARD, *à Daisy, s'empressant de l'aider
à déposer son panier.*

Excusez-moi, excusez-nous, on aurait dû vous débarrasser plus tôt.

BÉRENGER, *continuant.*

... Il a été déformé par la haine de ses chefs, un complexe d'infériorité...

DUDARD, *à Bérenger.*

Votre raisonnement est faux, puisqu'il a suivi son chef justement, l'instrument même de ses exploitants, c'était son expression. Au contraire, chez lui, il me semble que c'est l'esprit communautaire qui l'a emporté sur ses impulsions anarchiques.

BÉRENGER

Ce sont les rhinocéros qui sont anarchiques puisqu'ils sont en minorité.

DUDARD

Ils le sont encore, pour le moment.

DAISY

C'est une minorité déjà nombreuse qui va croissant. Mon cousin est devenu rhinocéros, et sa femme. Sans compter les personnalités : le cardinal de Retz…

DUDARD

Un prélat !

DAISY

Mazarin.

DUDARD

Vous allez voir que ça va s'étendre dans d'autres pays.

BÉRENGER

Dire que le mal vient de chez nous !

DAISY

… Et des aristocrates : le duc de Saint-Simon.

BÉRENGER, *bras au ciel*.

Nos classiques !

DAISY

Et d'autres encore. Beaucoup d'autres. Peut-être un quart des habitants de la ville.

BÉRENGER

Nous sommes encore les plus nombreux. Il faut en profiter. Il faut faire quelque chose avant d'être submergés.

DUDARD

Ils sont très efficaces, très efficaces.

DAISY

Pour le moment, on devrait déjeuner. J'ai apporté de quoi manger.

BÉRENGER

Vous êtes très gentille, mademoiselle Daisy.

DUDARD, *à part.*

Oui, très gentille.

BÉRENGER, *à Daisy.*

Je ne sais comment vous remercier.

DAISY, *à Dudard.*

Voulez-vous rester avec nous?

DUDARD

Je ne voudrais pas être importun.

DAISY, *à Dudard.*

Que dites-vous là, monsieur Dudard? Vous savez bien que vous nous feriez plaisir.

DUDARD

Vous savez bien que je ne veux pas gêner…

BÉRENGER, *à Dudard.*

Mais bien sûr, Dudard, bien sûr. Votre présence est toujours un plaisir.

DUDARD

C'est que je suis un peu pressé. J'ai un rendez-vous.

BÉRENGER

Tout à l'heure, vous disiez que vous aviez tout votre temps.

DAISY, *sortant les provisions du panier.*

Vous savez, j'ai eu du mal à trouver de quoi manger. Les magasins sont ravagés : ils dévorent tout. Une quantité d'autres boutiques sont fermées : « Pour cause de transformation », est-il écrit sur les écriteaux.

BÉRENGER

On devrait les parquer dans de vastes enclos, leur imposer des résidences surveillées.

DUDARD

La mise en pratique de ce projet ne me semble pas possible. La Société protectrice des animaux serait la première à s'y opposer.

DAISY

D'autre part, chacun a parmi les rhinocéros un parent proche, un ami, ce qui complique encore les choses.

BÉRENGER

Tout le monde est dans le coup, alors !

DUDARD

Tout le monde est solitaire.

BÉRENGER

Mais comment peut-on être rhinocéros ? C'est impensable, impensable ! (*À Daisy.*) Voulez-vous que je vous aide à mettre la table ?

DAISY, *à Bérenger.*

Ne vous dérangez pas. Je sais où sont les assiettes.

> *Elle va chercher dans un placard, d'où elle rapportera les couverts.*

DUDARD, *à part.*

Oh ! mais elle connaît très bien la maison…

DAISY, *à Dudard.*

Alors trois couverts, n'est-ce pas, vous restez avec nous ?

BÉRENGER, *à Dudard.*

Restez, voyons, restez.

DAISY, *à Bérenger.*

On s'y habitue, vous savez. Plus personne ne s'étonne des troupeaux de rhinocéros parcourant les rues à toute allure. Les gens s'écartent sur leur passage, puis reprennent leur promenade, vaquent à leurs affaires, comme si de rien n'était.

DUDARD

C'est ce qu'il y a de plus sage.

BÉRENGER

Ah non, moi, je ne peux pas m'y faire.

DUDARD, *réfléchissant.*

Je me demande si ce n'est pas une expérience à tenter.

DAISY

Pour le moment, déjeunons.

BÉRENGER

Comment, vous, un juriste, vous pouvez pré-tendre que... (*On entend du dehors un grand bruit d'un troupeau de rhinocéros, allant à une cadence très rapide. On entend aussi des trompettes, des tambours.*) Qu'est-ce que c'est? (*Ils se précipitent tous vers la fenêtre de face.*) Qu'est-ce que c'est? (*On entend le bruit d'un mur qui s'écroule. De la poussière envahit une partie du plateau, les personnages, si cela est possible, sont cachés par cette poussière. On les entend parler.*)

BÉRENGER

On ne voit plus rien, que se passe-t-il?

DUDARD

On ne voit plus rien, mais on entend.

BÉRENGER

Ça ne suffit pas!

DAISY

La poussière va salir les assiettes.

BÉRENGER

Quel manque d'hygiène !

DAISY

Dépêchons-nous de manger. Ne pensons plus à tout cela.

La poussière se disperse.

BÉRENGER, *montrant du doigt dans la salle.*

Ils ont démoli les murs de la caserne des pompiers.

DUDARD

En effet, ils sont démolis.

DAISY, *qui s'était éloignée de la fenêtre et se trouvait près de la table, une assiette à la main qu'elle était en train de nettoyer, se précipite près des deux personnages.*

Ils sortent.

BÉRENGER

Tous les pompiers, tout un régiment de rhinocéros, tambours en tête.

DAISY

Ils se déversent sur les boulevards !

BÉRENGER

Ce n'est plus tenable, ce n'est plus tenable !

DAISY

D'autres rhinocéros sortent des cours !

BÉRENGER

Il en sort des maisons...

DUDARD

Par les fenêtres aussi !

DAISY

Ils vont rejoindre les autres.

> *On voit sortir de la porte du palier, à*
> *gauche, un homme qui descend les escaliers*
> *à toute allure ; puis un autre homme, ayant*
> *une grande corne au-dessus du nez ; puis*
> *une femme ayant toute la tête d'un rhino-*
> *céros.*

DUDARD

Nous n'avons déjà plus le nombre pour nous.

BÉRENGER

Combien y a-t-il d'unicornus, combien de bicornus parmi eux ?

DUDARD

Les statisticiens doivent certainement être en
train de statistiquer là-dessus. Quelle occasion de
savantes controverses !

BÉRENGER

Le pourcentage des uns et des autres doit être calculé tout à fait approximativement. Ça va trop vite. Ils n'ont plus le temps. Ils n'ont plus le temps de calculer !

DAISY

La chose la plus sensée est de laisser les statisticiens à leurs travaux. Allons, mon cher Bérenger, venez déjeuner. Cela vous calmera. Ça va vous remonter. (*À Dudard.*) Et vous aussi.

> *Ils s'écartent de la fenêtre, Bérenger, dont Daisy a pris le bras, se laisse entraîner facilement. Dudard s'arrête à mi-chemin.*

DUDARD

Je n'ai pas très faim, ou plutôt, je n'aime pas tellement les conserves. J'ai envie de manger sur l'herbe.

BÉRENGER

Ne faites pas ça. Savez-vous ce que vous risquez ?

DUDARD

Je ne veux pas vous gêner, vraiment.

BÉRENGER

Puisqu'on vous dit que...

DUDARD, *interrompant Bérenger.*

C'est sans façon.

DAISY, *à Dudard.*

Si vous voulez nous quitter absolument, écoutez, on ne peut vous obliger de...

DUDARD

Ce n'est pas pour vous vexer.

BÉRENGER, *à Daisy.*

Ne le laissez pas partir, ne le laissez pas partir.

DAISY

Je voudrais bien qu'il reste... cependant, chacun est libre.

BÉRENGER, *à Dudard.*

L'homme est supérieur au rhinocéros!

DUDARD

Je ne dis pas le contraire. Je ne vous approuve pas non plus. Je ne sais pas, c'est l'expérience qui le prouve.

BÉRENGER, *à Dudard.*

Vous aussi, vous êtes un faible, Dudard. C'est un engouement passager, que vous regretterez.

DAISY

Si, vraiment, c'est un engouement passager, le danger n'est pas grave.

DUDARD

J'ai des scrupules! Mon devoir m'impose de

suivre mes chefs et mes camarades, pour le meilleur et pour le pire.

BÉRENGER

Vous n'êtes pas marié avec eux.

DUDARD

J'ai renoncé au mariage, je préfère la grande famille universelle à la petite.

DAISY, *mollement.*

Nous vous regretterons beaucoup, Dudard, mais nous n'y pouvons rien.

DUDARD

Mon devoir est de ne pas les abandonner, j'écoute mon devoir.

BÉRENGER

Au contraire, votre devoir est de... vous ne connaissez pas votre devoir véritable... votre devoir est de vous opposer à eux, lucidement, fermement.

DUDARD

Je conserverai ma lucidité. (*Il se met à tourner en rond sur le plateau.*) Toute ma lucidité. S'il y a à critiquer, il vaut mieux critiquer du dedans que du dehors. Je ne les abandonnerai pas, je ne les abandonnerai pas.

DAISY

Il a bon cœur !

BÉRENGER

Il a trop bon cœur. (*À Dudard, puis se précipitant vers la porte.*) Vous avez trop bon cœur, vous êtes humain. (*À Daisy.*) Retenez-le. Il se trompe. Il est humain.

DAISY

Que puis-je y faire ?

> *Dudard ouvre la porte et s'enfuit ; on le voit descendre les escaliers à toute vitesse, suivi par Bérenger qui crie après Dudard, du haut du palier.*

BÉRENGER

Revenez, Dudard. On vous aime bien, n'y allez pas ! Trop tard ! (*Il rentre.*) Trop tard !

DAISY

On n'y pouvait rien.

> *Elle ferme la porte derrière Bérenger, qui se précipite vers la fenêtre d'en face.*

BÉRENGER

Il les a rejoints, où est-il maintenant ?

DAISY, *venant de la fenêtre.*

Avec eux.

BÉRENGER

Lequel est-ce ?

DAISY

On ne peut plus savoir. On ne peut déjà plus le reconnaître !

BÉRENGER

Ils sont tous pareils, tous pareils ! (*À Daisy.*) Il a flanché. Vous auriez dû le retenir de force.

DAISY

Je n'ai pas osé.

BÉRENGER

Vous auriez dû être plus ferme, vous auriez dû insister, il vous aimait, n'est-ce pas ?

DAISY

Il ne m'a jamais fait de déclaration officielle.

BÉRENGER

Tout le monde le savait. C'est par dépit amoureux qu'il a fait cela. C'était un timide ! Il a voulu faire une action d'éclat, pour vous impressionner. N'êtes-vous pas tentée de le suivre ?

DAISY

Pas du tout. Puisque je suis là.

BÉRENGER, *regardant par la fenêtre.*

Il n'y a plus qu'eux, dans les rues. (*Il se précipite vers la fenêtre du fond.*) Il n'y a plus qu'eux ! Vous avez eu tort, Daisy. (*Il regarde de nouveau par la fenêtre de face.*) À perte de vue, pas un être humain. Ils ont la rue. Des unicornes, des bicornus, moitié

moitié, pas d'autres signes distinctifs ! (*On entend les bruits puissants de la course des rhinocéros. Ces bruits sont musicalisés cependant. On voit apparaître, puis disparaître sur le mur du fond, des têtes de rhinocéros stylisées qui, jusqu'à la fin de l'acte, seront de plus en plus nombreuses. À la fin, elles s'y fixeront de plus en plus longtemps puis, finalement, remplissant le mur du fond, s'y fixeront définitivement. Ces têtes devront être de plus en plus belles malgré leur monstruosité.*) Vous n'êtes pas déçue, Daisy ? n'est-ce pas ? Vous ne regrettez rien ?

DAISY

Oh ! non, non.

BÉRENGER

Je voudrais tellement vous consoler. Je vous aime, Daisy, ne me quittez plus.

DAISY

Ferme la fenêtre, chéri. Ils font trop de bruit. Et la poussière monte jusqu'ici. Ça va tout salir.

BÉRENGER

Oui, oui. Tu as raison. (*Il ferme la fenêtre de face, Daisy celle du fond. Ils se rejoignent au milieu du plateau.*) Tant que nous sommes ensemble, je ne crains rien, tout m'est égal ! Ah ! Daisy, je croyais que je n'allais plus jamais pouvoir devenir amoureux d'une femme.

Il lui serre les mains, les bras.

DAISY

Tu vois, tout est possible.

BÉRENGER

Comme je voudrais te rendre heureuse ! Peux-tu l'être avec moi ?

DAISY

Pourquoi pas ? Si tu l'es, je le suis. Tu dis que tu ne crains rien, et tu as peur de tout ! Que peut-il nous arriver ?

BÉRENGER, *balbutiant.*

Mon amour, ma joie ! ma joie, mon amour… donne-moi tes lèvres, je ne me croyais plus capable de tant de passion !

DAISY

Sois plus calme, sois plus sûr de toi, maintenant.

BÉRENGER

Je le suis, donne-moi tes lèvres.

DAISY

Je suis très fatiguée, mon chéri. Calme-toi, repose-toi. Installe-toi dans le fauteuil.

> *Bérenger va s'installer dans le fauteuil, conduit par Daisy.*

BÉRENGER

Ce n'était pas la peine, dans ce cas, que Dudard se soit querellé avec Botard.

DAISY

Ne pense plus à Dudard. Je suis près de toi. Nous n'avons pas le droit de nous mêler de la vie des gens.

BÉRENGER

Tu te mêles bien de la mienne. Tu sais être ferme avec moi.

DAISY

Ça n'est pas la même chose, je n'ai jamais aimé Dudard.

BÉRENGER

Je te comprends. S'il était resté là, il aurait été tout le temps un obstacle entre nous. Eh oui, le bonheur est égoïste.

DAISY

Il faut défendre son bonheur. N'ai-je pas raison ?

BÉRENGER

Je t'adore, Daisy. Je t'admire.

DAISY

Quand tu me connaîtras mieux, tu ne me le diras plus peut-être.

BÉRENGER

Tu gagnes à être connue, et tu es si belle, tu es si belle. (*On entend de nouveau un passage de rhinocéros.*) ... Surtout quand on te compare à ceux-ci... (*Il montre de la main la direction de la fenêtre.*)

Tu vas me dire que ce n'est pas un compliment,
mais ils font encore mieux ressortir ta beauté...

DAISY

Tu as été bien sage, aujourd'hui? Tu n'as pas
pris de cognac?

BÉRENGER

Oui, oui, j'ai été sage.

DAISY

C'est bien vrai?

BÉRENGER

Ah ça oui, je t'assure.

DAISY

Dois-je te croire?

BÉRENGER, *un peu confus.*

Oh! oui, crois-moi, oui.

DAISY

Alors, tu peux en prendre un petit verre. Ça
va te remonter. (*Bérenger veut se précipiter.*) Reste
assis, mon chéri. Où est la bouteille?

BÉRENGER, *indiquant l'endroit.*

Là, sur la petite table.

DAISY, *se dirigeant vers la petite table d'où
elle prendra le verre et la bouteille.*

Tu l'as bien cachée.

BÉRENGER

C'est pour ne pas être tenté d'y toucher.

DAISY, *après avoir versé un petit verre
à Bérenger, elle le lui tend.*

Tu es vraiment bien sage. Tu fais des progrès.

BÉRENGER

Avec toi, j'en ferai encore davantage.

DAISY, *tendant le verre.*

Tiens, c'est ta récompense.

BÉRENGER *boit le verre d'un trait.*

Merci.

Il tend de nouveau son verre.

DAISY

Ah! non, mon chéri. Ça suffit pour ce matin.
(*Elle prend le verre de Bérenger, va le porter avec la bouteille sur la petite table.*) Je ne veux pas que ça te
fasse du mal. (*Elle revient vers Bérenger.*) Et la tête,
comment va-t-elle?

BÉRENGER

Beaucoup mieux, mon amour.

DAISY

Alors, nous allons enlever ce pansement. Ça ne
te va pas très bien.

BÉRENGER

Ah! non, n'y touche pas.

DAISY

Mais si, on va l'enlever.

BÉRENGER

J'ai peur qu'il n'y ait quelque chose dessous.

DAISY, *enlevant le pansement, malgré l'opposition de Bérenger.*

Toujours tes peurs, tes idées noires. Tu vois, il n'y a rien. Ton front est lisse.

BÉRENGER, *se tâtant le front.*

C'est vrai, tu me libères de mes complexes. (*Daisy embrasse Bérenger sur le front.*) Que deviendrais-je sans toi?

DAISY

Je ne te laisserai plus jamais seul.

BÉRENGER

Avec toi, je n'aurai plus d'angoisses.

DAISY

Je saurai les écarter.

BÉRENGER

Nous lirons des livres ensemble. Je deviendrai érudit.

DAISY

Et surtout, aux heures où il y a moins d'affluence, nous ferons de longues promenades.

BÉRENGER

Oui, sur les bords de la Seine, au Luxembourg…

DAISY

Au jardin zoologique.

BÉRENGER

Je serai fort et courageux. Je te défendrai, moi aussi, contre tous les méchants.

DAISY

Tu n'auras pas à me défendre, va. Nous ne voulons de mal à personne. Personne ne nous veut du mal, chéri.

BÉRENGER

Parfois, on fait du mal sans le vouloir. Ou bien, on le laisse se répandre. Tu vois, tu n'aimais pas non plus ce pauvre M. Papillon. Mais tu n'aurais peut-être pas dû lui dire, si crûment, le jour de l'apparition de Bœuf en rhinocéros, qu'il avait les paumes des mains rugueuses.

DAISY

C'était vrai. Il les avait.

BÉRENGER

Bien sûr, chérie. Pourtant, tu aurais pu lui faire remarquer cela avec moins de brutalité, avec plus de ménagement. Il en a été impressionné.

DAISY

Tu crois?

BÉRENGER

Il ne l'a pas fait voir, car il a de l'amour-propre. Il a certainement été touché en profondeur. C'est cela qui a dû précipiter sa décision. Peut-être aurais-tu sauvé une âme !

DAISY

Je ne pouvais pas prévoir ce qui allait lui arriver... Il a été mal élevé.

BÉRENGER

Moi, pour ma part, je me reprocherai toujours de ne pas avoir été plus doux avec Jean. Je n'ai jamais pu lui prouver, de façon éclatante, toute l'amitié que j'avais pour lui. Et je n'ai pas été assez compréhensif avec lui.

DAISY

Ne te tracasse pas. Tu as tout de même fait de ton mieux. On ne peut faire l'impossible. À quoi bon les remords ? Ne pense donc plus à tous ces gens-là. Oublie-les. Laisse les mauvais souvenirs de côté.

BÉRENGER

Ils se font entendre ces souvenirs, ils se font voir. Ils sont réels.

DAISY

Je ne te croyais pas si réaliste, je te croyais plus poétique. Tu n'as donc pas d'imagination ? Il y a plusieurs réalités ! Choisis celle qui te convient. Évade-toi dans l'imaginaire.

BÉRENGER

Facile à dire !

DAISY

Est-ce que je ne te suffis pas ?

BÉRENGER

Oh si, amplement, amplement !

DAISY

Tu vas tout gâcher avec tes cas de conscience ! Nous avons tous des fautes, peut-être. Pourtant, toi et moi, nous en avons moins que tant d'autres.

BÉRENGER

Tu crois vraiment ?

DAISY

Nous sommes relativement meilleurs que la plupart des gens. Nous sommes bons, tous les deux.

BÉRENGER

C'est vrai, tu es bonne et je suis bon. C'est vrai.

DAISY

Alors, nous avons le droit de vivre. Nous avons même le devoir, vis-à-vis de nous-mêmes, d'être heureux, indépendamment de tout. La culpabilité est un symptôme dangereux. C'est un signe de manque de pureté.

BÉRENGER

Ah ! oui, cela peut mener à ça... (*Il montre du*

doigt en direction des fenêtres sous lesquelles passent des
rhinocéros, du mur du fond où apparaît une tête de rhi-
nocéros)… Beaucoup d'entre eux ont commencé
comme ça !

DAISY

Essayons de ne plus nous sentir coupables.

BÉRENGER

Comme tu as raison, ma joie, ma déesse, mon
soleil… Je suis avec toi, n'est-ce pas ? Personne ne
peut nous séparer. Il y a notre amour, il n'y a que
cela de vrai. Personne n'a le droit et personne ne
peut nous empêcher d'être heureux, n'est-ce
pas ? (*On entend la sonnerie du téléphone.*) Qui peut
nous appeler ?

DAISY, *appréhensive.*

Ne réponds pas !…

BÉRENGER

Pourquoi ?

DAISY

Je ne sais pas. Cela vaut peut-être mieux.

BÉRENGER

C'est peut-être M. Papillon ou Botard, ou Jean,
ou Dudard qui veulent nous annoncer qu'ils sont
revenus sur leur décision. Puisque tu disais que ce
n'était, de leur part, qu'un engouement passager !

DAISY

Je ne crois pas. Ils n'ont pas pu changer d'avis si vite. Ils n'ont pas eu le temps de réfléchir. Ils iront jusqu'au bout de leur expérience.

BÉRENGER

Ce sont peut-être les autorités qui réagissent et qui nous demandent de les aider dans les mesures qu'ils vont prendre.

DAISY

Cela m'étonnerait.

Nouvelle sonnerie du téléphone.

BÉRENGER

Mais si, mais si, c'est la sonnerie des autorités, je la reconnais. Une sonnerie longue! Je dois répondre à leur appel. Ça ne peut plus être personne d'autre. (*Il décroche l'appareil.*) Allô? (*Pour toute réponse, des barrissements se font entendre venant de l'écouteur.*) Tu entends? Des barrissements! Écoute!

Daisy met le récepteur à l'oreille, a un recul, raccroche précipitamment l'appareil.

DAISY, *effrayée.*

Que peut-il bien se passer!

BÉRENGER

Ils nous font des farces maintenant!

DAISY

Des farces de mauvais goût.

BÉRENGER

Tu vois, je te l'avais bien dit !

DAISY

Tu ne m'as rien dit !

BÉRENGER

Je m'y attendais, j'avais prévu.

DAISY

Tu n'avais rien prévu du tout. Tu ne prévois jamais rien. Tu ne prévois les événements que lorsqu'ils sont déjà arrivés.

BÉRENGER

Oh ! si, je prévois, je prévois.

DAISY

Ils ne sont pas gentils. C'est méchant. Je n'aime pas qu'on se moque de moi.

BÉRENGER

Ils n'oseraient pas se moquer de toi. C'est de moi qu'ils se moquent.

DAISY

Et comme je suis avec toi, bien entendu, j'en prends ma part. Ils se vengent. Mais qu'est-ce qu'on leur a fait ? (*Nouvelle sonnerie du téléphone.*) Enlève les plombs.

BÉRENGER

Les P.T.T. ne permettent pas !

DAISY

Ah ! tu n'oses rien, et tu prends ma défense !

> *Daisy enlève les plombs, la sonnerie cesse.*

BÉRENGER, *se précipitant vers le poste*
de T.S.F.

Faisons marcher le poste, pour connaître les nouvelles.

DAISY

Oui, il faut savoir où nous en sommes ! (*Des bar-rissements partent du poste. Bérenger tourne vivement le bouton. Le poste s'arrête. On entend cependant encore, dans le lointain, comme des échos de barrissements.*) Ça devient vraiment sérieux ! Je n'aime pas cela, je n'admets pas !

> *Elle tremble.*

BÉRENGER, *très agité.*

Du calme ! du calme !

DAISY

Ils ont occupé les installations de la radio !

BÉRENGER, *tremblant et agité.*

Du calme ! du calme ! du calme !

> *Daisy court vers la fenêtre du fond,*
> *regarde, puis vers la fenêtre de face et*
> *regarde ; Bérenger fait la même chose en*

*sens inverse, puis tous deux se retrouvent
au milieu du plateau l'un en face de
l'autre.*

DAISY

Ça n'est plus du tout de la plaisanterie. Ils se
sont vraiment pris au sérieux !

BÉRENGER

Il n'y a plus qu'eux, il n'y a plus qu'eux. Les
autorités sont passées de leur côté.

*Même jeu que tout à l'heure de Daisy et
Bérenger vers les deux fenêtres, puis les deux
personnages se rejoignent de nouveau au
milieu du plateau.*

DAISY

Il n'y a plus personne nulle part.

BÉRENGER

Nous sommes seuls, nous sommes restés seuls.

DAISY

C'est bien ce que tu voulais.

BÉRENGER

C'est toi qui le voulais !

DAISY

C'est toi.

BÉRENGER

Toi !

> *Les bruits s'entendent de partout. Les têtes de rhinocéros remplissent le mur du fond. De droite, et de gauche, dans la maison on entend des pas précipités, des souffles bruyants de fauves. Tous ces bruits effrayants sont cependant rythmés, musicalisés. C'est aussi et surtout d'en haut que viennent les plus forts, les bruits des piétinements. Du plâtre tombe du plafond. La maison s'ébranle violemment.*

DAISY

La terre tremble !

> *Elle ne sait où courir.*

BÉRENGER

Non, ce sont nos voisins, les Périssodactyles ! (*Il montre le poing, à droite, à gauche, partout.*) Arrêtez donc ! Vous nous empêchez de travailler ! Les bruits sont défendus ! Défendu de faire du bruit.

DAISY

Ils ne t'écouteront pas !

> *Cependant, les bruits diminuent et ne constituent plus qu'une sorte de fond sonore et musical.*

BÉRENGER, *effrayé, lui aussi.*

N'aie pas peur, mon amour. Nous sommes ensemble, n'es-tu pas bien avec moi ? Est-ce que je ne te suffis pas ? J'écarterai de toi toutes les angoisses.

DAISY

C'est peut-être notre faute.

BÉRENGER

N'y pense plus. Il ne faut pas avoir de remords. Le sentiment de la culpabilité est dangereux. Vivons notre vie, soyons heureux. Nous avons le devoir d'être heureux. Ils ne sont pas méchants, on ne leur fait pas de mal. Ils nous laisseront tranquilles. Calme-toi, repose-toi. Installe-toi dans le fauteuil. (*Il la conduit jusqu'au fauteuil.*) Calme-toi ! (*Daisy s'installe dans le fauteuil.*) Veux-tu un verre de cognac, pour te remonter ?

DAISY

J'ai mal à la tête.

BÉRENGER, *prenant le pansement de tout à l'heure et bandageant la tête de Daisy.*

Je t'aime, mon amour. Ne t'en fais pas, ça leur passera. Un engouement passager.

DAISY

Ça ne leur passera pas. C'est définitif.

BÉRENGER

Je t'aime, je t'aime follement.

DAISY, *enlevant son bandage.*

Advienne que pourra. Que veux-tu qu'on y fasse ?

BÉRENGER

Ils sont tous devenus fous. Le monde est malade. Ils sont tous malades.

DAISY

Ça n'est pas nous qui les guérirons.

BÉRENGER

Comment vivre dans la maison, avec eux?

DAISY, *se calmant.*

Il faut être raisonnable. Il faut trouver un *modus vivendi*, il faut tâcher de s'entendre avec.

BÉRENGER

Ils ne peuvent pas nous entendre.

DAISY

Il le faut pourtant. Pas d'autre solution.

BÉRENGER

Tu les comprends, toi?

DAISY

Pas encore. Mais nous devrions essayer de comprendre leur psychologie, d'apprendre leur langage.

BÉRENGER

Ils n'ont pas de langage! Écoute... tu appelles ça un langage?

DAISY

Qu'est-ce que tu en sais? Tu n'es pas polyglotte!

BÉRENGER

Nous en parlerons plus tard. Il faut déjeuner d'abord.

DAISY

Je n'ai plus faim. C'est trop. Je ne peux plus résister.

BÉRENGER

Mais tu es plus forte que moi. Tu ne vas pas te laisser impressionner. C'est pour ta vaillance que je t'admire.

DAISY

Tu me l'as déjà dit.

BÉRENGER

Tu es sûre de mon amour?

DAISY

Mais oui.

BÉRENGER

Je t'aime.

DAISY

Tu te répètes, mon chou.

BÉRENGER

Écoute, Daisy, nous pouvons faire quelque chose. Nous aurons des enfants, nos enfants en auront d'autres, cela mettra du temps, mais à nous deux nous pourrons régénérer l'humanité

DAISY

Régénérer l'humanité ?

BÉRENGER

Cela s'est déjà fait.

DAISY

Dans le temps. Adam et Ève… Ils avaient beaucoup de courage.

BÉRENGER

Nous aussi, nous pouvons avoir du courage. Il
n'en faut pas tellement d'ailleurs. Cela se fait tout
seul, avec du temps, de la patience.

DAISY

À quoi bon ?

BÉRENGER

Si, si, un peu de courage, un tout petit peu.

DAISY

Je ne veux pas avoir d'enfants. Ça m'ennuie.

BÉRENGER

Comment veux-tu sauver le monde alors ?

DAISY

Pourquoi le sauver ?

BÉRENGER

Quelle question !… Fais ça pour moi, Daisy.
Sauvons le monde.

DAISY

Après tout, c'est peut-être nous qui avons besoin d'être sauvés. C'est nous, peut-être, les anormaux.

BÉRENGER

Tu divagues, Daisy, tu as de la fièvre.

DAISY

En vois-tu d'autres de notre espèce ?

BÉRENGER

Daisy, je ne veux pas t'entendre dire cela !

> *Daisy regarde de tous les côtés, vers tous les rhinocéros dont on voit les têtes sur les murs, à la porte du palier, et aussi apparaissant sur le bord de la rampe.*

DAISY

C'est ça, les gens. Ils ont l'air gais. Ils se sentent bien dans leur peau. Ils n'ont pas l'air d'être fous. Ils sont très naturels. Ils ont eu des raisons.

BÉRENGER, *joignant les mains et regardant Daisy désespérément.*

C'est nous qui avons raison, Daisy, je t'assure.

DAISY

Quelle prétention !…

BÉRENGER

Tu sais bien que j'ai raison.

DAISY

Il n'y a pas de raison absolue. C'est le monde qui a raison, ce n'est pas toi, ni moi.

BÉRENGER

Si, Daisy, j'ai raison. La preuve, c'est que tu me comprends quand je te parle.

DAISY

Ça ne prouve rien.

BÉRENGER

La preuve, c'est que je t'aime autant qu'un homme puisse aimer une femme.

DAISY

Drôle d'argument!

BÉRENGER

Je ne te comprends plus, Daisy. Ma chérie, tu ne sais plus ce que tu dis! L'amour! l'amour, voyons, l'amour...

DAISY

J'en ai un peu honte, de ce que tu appelles l'amour, ce sentiment morbide, cette faiblesse de l'homme. Et de la femme. Cela ne peut se comparer avec l'ardeur, l'énergie extraordinaire[1] que dégagent tous ces êtres qui nous entourent.

BÉRENGER

De l'énergie? Tu veux de l'énergie? Tiens, en voilà de l'énergie!

Il lui donne une gifle.

DAISY

Oh ! Jamais je n'aurais cru…

> *Elle s'effondre dans le fauteuil.*

BÉRENGER

Oh ! pardonne-moi, ma chérie, pardonne-moi ! (*Il veut l'embrasser, elle se dégage.*) Pardonne-moi, ma chérie. Je n'ai pas voulu. Je ne sais pas ce qui m'est arrivé, comment ai-je pu me laisser emporter !

DAISY

C'est parce que tu n'as plus d'arguments ; c'est simple.

BÉRENGER

Hélas ! En quelques minutes, nous avons donc vécu vingt-cinq années de mariage.

DAISY

J'ai pitié de toi aussi, je te comprends.

BÉRENGER, *tandis que Daisy pleure.*

Eh bien, je n'ai plus d'arguments sans doute. Tu les crois plus forts que moi, plus forts que nous, peut-être.

DAISY

Sûrement.

BÉRENGER

Eh bien, malgré tout, je te le jure, je n'abdiquerai pas, moi, je n'abdiquerai pas.

DAISY, *elle se lève, va vers Bérenger, entoure*
son cou de ses bras.

Mon pauvre chéri, je résisterai avec toi, jusqu'au bout.

BÉRENGER

Le pourras-tu?

DAISY

Je tiendrai parole. Aie confiance. (*Bruits devenus*
mélodieux des rhinocéros.) Ils chantent, tu entends?

BÉRENGER

Ils ne chantent pas, ils barrissent.

DAISY

Ils chantent.

BÉRENGER

Ils barrissent, je te dis.

DAISY

Tu es fou, ils chantent.

BÉRENGER

Tu n'as pas l'oreille musicale, alors!

DAISY

Tu n'y connais rien en musique, mon pauvre
ami, et puis, regarde, ils jouent, ils dansent.

BÉRENGER

Tu appelles ça de la danse?

DAISY

C'est leur façon. Ils sont beaux.

BÉRENGER

Ils sont ignobles !

DAISY

Je ne veux pas qu'on en dise du mal. Ça me fait de la peine.

BÉRENGER

Excuse-moi. Nous n'allons pas nous chamailler à cause d'eux.

DAISY

Ce sont des dieux.

BÉRENGER

Tu exagères, Daisy, regarde-les bien.

DAISY

Ne sois pas jaloux, mon chéri. Pardonne-moi aussi.

> *Elle se dirige de nouveau vers Bérenger,*
> *veut l'entourer de ses bras. C'est Bérenger*
> *maintenant qui se dégage.*

BÉRENGER

Je constate que nos opinions sont tout à fait opposées. Il vaut mieux ne plus discuter.

DAISY

Ne sois pas mesquin, voyons.

BÉRENGER

Ne sois pas sotte.

> DAISY, *à Bérenger, qui lui tourne le dos. Il*
> *se regarde dans la glace, se dévisage.*

La vie en commun n'est plus possible.

> *Tandis que Bérenger continue à se regar-*
> *der dans la glace, elle se dirige doucement*
> *vers la porte en disant : « Il n'est pas gentil,*
> *vraiment, il n'est pas gentil. » Elle sort, on*
> *la voit descendre lentement le haut de l'es-*
> *calier.*

> BÉRENGER, *se regardant toujours*
> *dans la glace.*

Ce n'est tout de même pas si vilain que ça un homme. Et pourtant, je ne suis pas parmi les plus beaux ! Crois-moi, Daisy ! (*Il se retourne.*) Daisy ! Daisy ! Où es-tu, Daisy ? Tu ne vas pas faire ça ! (*Il se précipite vers la porte.*) Daisy ! (*Arrivé sur le palier, il se penche sur la balustrade.*) Daisy ! remonte ! reviens, ma petite Daisy ! Tu n'as même pas déjeuné ! Daisy, ne me laisse pas tout seul ! Qu'est-ce que tu m'avais promis ! Daisy ! Daisy ! (*Il renonce à l'appeler, fait un geste désespéré et rentre dans sa chambre.*) Évidemment. On ne s'entendait plus. Un ménage désuni. Ce n'était plus viable. Mais elle n'aurait pas dû me quitter sans s'expliquer. (*Il regarde partout.*) Elle ne m'a pas laissé un mot. Ça ne se fait pas. Je suis tout à fait seul maintenant. (*Il va fermer la porte à clé, soigneusement, mais avec colère.*) On ne m'aura pas, moi. (*Il ferme soigneusement les fenêtres.*) Vous ne m'aurez pas, moi.

(*Il s'adresse à toutes les têtes de rhinocéros.*) Je ne vous suivrai pas, je ne vous comprends pas ! Je reste ce que je suis. Je suis un être humain. Un être humain. (*Il va s'asseoir dans le fauteuil.*) La situation est absolument intenable. C'est ma faute, si elle est partie. J'étais tout pour elle. Qu'est-ce qu'elle va devenir ? Encore quelqu'un sur la conscience. J'imagine le pire, le pire est possible. Pauvre enfant abandonnée dans cet univers de monstres ! Personne ne peut m'aider à la retrouver, personne, car il n'y a plus personne. (*Nouveaux barrissements, courses éperdues, nuages de poussière.*) Je ne veux pas les entendre. Je vais mettre du coton dans les oreilles. (*Il se met du coton dans les oreilles et se parle à lui-même dans la glace.*) Il n'y a pas d'autre solution que de les convaincre, les convaincre, de quoi ? Et les mutations sont-elles réversibles ? Hein, sont-elles réversibles ? Ce serait un travail d'Hercule, au-dessus de mes forces. D'abord, pour les convaincre, il faut leur parler. Pour leur parler, il faut que j'apprenne leur langue. Ou qu'ils apprennent la mienne ? Mais quelle langue est-ce que je parle ? Quelle est ma langue ? Est-ce du français, ça ? Ce doit bien être du français ? Mais qu'est-ce que du français ? On peut appeler ça du français, si on veut, personne ne peut le contester, je suis seul à le parler. Qu'est-ce que je dis ? Est-ce que je me comprends, est-ce que je me comprends ? (*Il va vers le milieu de la chambre.*) Et si, comme me l'avait dit Daisy, si c'est eux qui ont raison ? (*Il retourne vers la glace.*) Un homme n'est pas laid, un homme n'est pas laid ! (*Il se regarde en passant la main sur sa figure.*)

Quelle drôle de chose ! À quoi je ressemble alors ?
À quoi ? (*Il se précipite vers un placard, en sort des pho-*
tos, qu'il regarde.) Des photos ! Qui sont-ils tous ces
gens-là ? M. Papillon, ou Daisy plutôt ? Et celui-là,
est-ce Botard ou Dudard, ou Jean ? ou moi, peut-
être ! (*Il se précipite de nouveau vers le placard d'où il*
sort deux ou trois tableaux.) Oui, je me reconnais ;
c'est moi, c'est moi ! (*Il va raccrocher les tableaux sur*
le mur du fond, à côté des têtes de rhinocéros.) C'est
moi, c'est moi. (*Lorsqu'il accroche les tableaux, on*
s'aperçoit que ceux-ci représentent un vieillard, une
grosse femme, un autre homme. La laideur de ces por-
traits contraste avec les têtes des rhinocéros qui sont deve-
nues très belles. Bérenger s'écarte pour contempler les
tableaux.) Je ne suis pas beau, je ne suis pas beau.
(*Il décroche les tableaux, les jette par terre avec fureur, il*
va vers la glace.) Ce sont eux qui sont beaux. J'ai
eu tort ! Oh ! comme je voudrais être comme eux.
Je n'ai pas de corne, hélas ! Que c'est laid, un
front plat. Il m'en faudrait une ou deux, pour
rehausser mes traits tombants. Ça viendra peut-
être, et je n'aurai plus honte, je pourrai aller tous
les retrouver. Mais ça ne pousse pas ! (*Il regarde*
les paumes de ses mains.) Mes mains sont moites.
Deviendront-elles rugueuses ? (*Il enlève son veston,*
défait sa chemise, contemple sa poitrine dans la glace.)
J'ai la peau flasque. Ah, ce corps trop blanc, et
poilu ! Comme je voudrais avoir une peau dure et
cette magnifique couleur d'un vert sombre, une
nudité décente, sans poils, comme la leur ! (*Il écoute*
les barrissements.) Leurs chants ont du charme, un
peu âpre, mais un charme certain ! Si je pouvais
faire comme eux. (*Il essaye de les imiter.*) Ahh, ahh,

brr ! Non, ce n'est pas ça ! Essayons encore, plus
fort ! Ahh, ahh, brr ! non, non, ce n'est pas ça,
que c'est faible, comme cela manque de vigueur !
Je n'arrive pas à barrir. Je hurle seulement. Ahh,
ahh, brr ! Les hurlements ne sont pas des barrissements ! Comme j'ai mauvaise conscience, j'aurais dû les suivre à temps. Trop tard maintenant !
Hélas, je suis un monstre, je suis un monstre.
Hélas, jamais je ne deviendrai rhinocéros, jamais,
jamais ! Je ne peux plus changer. Je voudrais bien,
je voudrais tellement, mais je ne peux pas. Je ne
peux plus me voir. J'ai trop honte ! (*Il tourne le dos
à la glace.*) Comme je suis laid ! Malheur à celui
qui veut conserver son originalité ! (*Il a un brusque
sursaut.*) Eh bien tant pis ! Je me défendrai contre
tout le monde ! Ma carabine, ma carabine ! (*Il se
retourne face au mur du fond où sont fixées les têtes des
rhinocéros, tout en criant :*) Contre tout le monde, je
me défendrai ! Je suis le dernier homme, je le resterai jusqu'au bout ! Je ne capitule pas[1] !

RIDEAU

DOSSIER

CHRONOLOGIE

1909 Le 26 novembre, naissance d'Eugen Ionescu à Sla-
tina, en Roumanie, d'un père roumain également
nommé Eugen Ionescu et d'une mère d'origine
française, Thérèse Ipcar.

1911 La famille s'installe à Paris où le père du futur dramaturge prépare son doctorat en droit.

1916 L'Allemagne déclare la guerre à la Roumanie.
Eugen Ionescu rentre à Bucarest, laissant sa famille
à Paris, et divorce sous le prétexte fallacieux que son
épouse aurait abandonné le domicile conjugal.
Eugène séjourne plusieurs mois dans un établisse-
ment pour enfants proche de Paris.

1917 Le père épouse Hélène Buruiana qui détestera les
enfants de son mari. Le sentiment est réciproque.

1917-1919 Eugène et sa sœur Marilina séjournent chez
des fermiers à La Chapelle-Anthenaise, en Mayenne.
Ce séjour paisible et heureux marqua profondé-
ment le futur écrivain comme en témoignent ses
déclarations et ses journaux intimes.

1920 Après avoir exercé les fonctions d'inspecteur de la
Sûreté pendant la guerre, Eugen Ionescu est nommé
avocat.

1922 Eugène et sa sœur doivent rejoindre Bucarest où
ils apprennent le roumain qu'ils ignoraient jusque-
là. Eugène fréquente le lycée orthodoxe Saint-Sava.

Ultérieurement, sa mère viendra s'installer à Bucarest.

1926   Las des conflits qui l'opposent à un père irascible, versatile et indélicat, Eugène quitte le domicile paternel. Ces conflits trouveront un écho dans ses œuvres, notamment dans *Victimes du devoir* et *Voyages chez les morts*.

Découverte de la poésie du dadaïste Tristan Tzara et de surréalistes comme Breton, Soupault, Aragon et Crevel.

1928   Obtention du baccalauréat.

1929   Entrée à l'université de Bucarest où il prépare une licence de français. Joutes oratoires avec son professeur d'esthétique. Rencontre de Rodica Burileanu, étudiante en philosophie et en droit et fille du directeur d'un journal influent.

1930   Premiers articles littéraires dans diverses revues.

1931   Publication, en roumain, d'une plaquette de vers intitulée *Élégies pour êtres minuscules*.

1929-1935   Intense activité de critique dans diverses revues.

1934   Obtient la *Capacitate* en français, équivalent approximatif du C.A.P.E.S. actuel. Publication d'un ouvrage polémique et satirique intitulé *Nu* (c'est-à-dire *Non*) où il s'en prend à des écrivains et des critiques célèbres qu'il fréquente. Ce recueil d'essais qui fit scandale, mais pour lequel il se vit décerner le prix des Fondations royales, laisse pressentir l'auteur de *Notes et contre-notes* et de *La Cantatrice chauve*.

1936   Le 8 juillet, il épouse Rodica Burileanu. En octobre, décès de sa mère.

1936-1938   Il enseigne à Cernavoda, ville de garnison, et publie divers articles satiriques sur « La vie grotesque et tragique de Victor Hugo ».

En 1938, Ionesco quitte la Roumanie, agitée par des remous politiques, pour la France afin d'y préparer un doctorat sur « le péché et la mort dans la poésie française depuis Baudelaire ». Cette thèse ne sera jamais achevée.

1940 Mobilisé, Eugène rentre en août à Bucarest et enseigne au lycée Saint-Sava.

1942 ou 1943 Les Ionesco s'établissent à Marseille, en zone libre.

1944 Naissance de leur fille Marie-France.

1945 Retour à Paris.

1948-1955 Décès de son père. Après avoir été manutentionnaire, Eugène devient correcteur d'épreuves dans une maison d'éditions juridiques.

1950 Nicolas Bataille crée *La Cantatrice chauve* au théâtre des Noctambules. Ionesco se fait naturaliser français.

1951 Marcel Cuvelier crée *La Leçon* au théâtre de Poche.

1952 Sylvain Dhomme crée *Les Chaises* au théâtre Lancry. Reprise de *La Cantatrice chauve* et de *La Leçon* à la Huchette.

1953 Jacques Mauclair crée *Victimes du devoir* au théâtre du Quartier latin. *Sept petits sketches* mis en scène par Jacques Poliéri à la Huchette.

1954 Publication du *Théâtre I* chez Gallimard. Jean-Marie Serreau crée *Amédée ou Comment s'en débarrasser* au théâtre de Babylone.

1955 Robert Postec crée *Jacques ou la Soumission* et *Le Tableau* au théâtre de la Huchette. Création, en Finlande, du *Nouveau Locataire* par Vivica Bandler.

1956 Maurice Jacquemont crée *L'Impromptu de l'Alma* au Studio des Champs-Élysées, pièce satirique où Ionesco s'en prend à ses critiques — Roland Barthes, Bernard Dort et Jean-Jacques Gautier — habillés en docteurs doctrinaires.

1957 Reprise de *La Cantatrice chauve* et de *La Leçon* à la Huchette. Création, par Jean-Luc Magneron, de *L'avenir est dans les œufs* au théâtre de la Cité universitaire. Robert Postec crée *Le Nouveau Locataire* au théâtre d'Aujourd'hui (théâtre de l'Alliance française).

1959 José Quaglio crée *Tueur sans gages* au théâtre Récamier. Création de *Scène à quatre* au festival de Spolète. Création, en langue allemande, de *Rhinocéros* par Karl-Heinz Stroux à Düsseldorf.

1960 Jean-Louis Barrault crée *Rhinocéros* à l'Odéon-Théâtre de France.

1962 Création de *Délire à deux* au Studio des Champs-Élysées par Antoine Bourseiller. Publication de *La Photo du colonel*, recueil comprenant six récits. Jacques Mauclair crée *Le Roi se meurt* au théâtre de l'Alliance française. Publication de *Notes et contre-notes*, recueil important d'articles, de conférences et de polémiques. Karl-Heinz Stroux crée, à Düsseldorf, *Le Piéton de l'air*.

1963 *Le Piéton de l'air* à l'Odéon, dans une mise en scène de Jean-Louis Barrault.

1964 Karl-Heinz Stroux crée *La Soif et la Faim* à Düsseldorf.

1966 Jean-Marie Serreau met en scène *La Soif et la Faim* à la Comédie-Française. Barrault reprend *La Lacune* à l'Odéon. Création de *Leçons de français pour Américains* au théâtre de Poche par Antoine Bourseiller. Publication, par Claude Bonnefoy, de ses *Entretiens avec Eugène Ionesco* (Belfond).

1967 Publication du *Journal en miettes*.

1968 Publication du *Présent passé. Passé présent*.

1969 Publication de *Découvertes* chez Skira. Michel Benamou, professeur aux États-Unis, publie *Mise en train*, manuel de français dont Ionesco a rédigé les dialogues.

1970 Élection à l'Académie française. Création de *Jeux de massacre* à Düsseldorf par Karl-Heinz Stroux. Représentation au théâtre Montparnasse par Jorge Lavelli.

1972 Jacques Mauclair crée *Macbett* au théâtre de la Rive-Gauche.

1973 Jacques Mauclair crée *Ce formidable bordel!* au théâtre Moderne. Publication d'un roman, *Le Solitaire*.

1975 Jacques Mauclair crée *L'Homme aux valises* au théâtre de l'Atelier.

1977 Publication d'*Antidotes*, recueil d'inédits et d'articles politiques, littéraires et culturels.

1979 Publication d'*Un homme en question*, recueil d'articles. Création de *Contes pour enfants* par Claude Confortès au théâtre Daniel-Sorano.

1980 Création de *Voyages chez les morts* au Guggenheim Theater de New York dans la mise en scène de P. Berman. Jean-Jacques Dulon crée *Parlons français* au Lucernaire, spectacle élaboré à partir des *Exercices de conversation et de diction françaises pour étudiants américains*. Succès éclatant (1 000 représentations étalées sur plus de trois années).

1981 Publication d'un essai sur la peinture, *Le Blanc et le Noir*, illustré de quinze lithographies d'Ionesco.

1982 Publication d'un essai datant des années trente, traduit du roumain par Dragomir Costineanu, intitulé *Hugoliade*.

1983 *Spectacle Ionesco* mis en scène par Roger Planchon à partir de *L'Homme aux valises*, de *Voyages chez les morts* et d'éléments biographiques. Exposition de lithographies et de gouaches en Suisse et en Autriche. Création audiovisuelle de *Parlons français*, spectacle diffusé sur Antenne 2 le 2 janvier 1983, avec Claude Piéplu et la participation d'Eugène Ionesco.

1985 *Le roi se meurt* joué en opéra à Munich sur une musique de Suter Meister. Expositions à Klagenfurt, Innsbruck, Salzbourg, Munich, Glarus, Bielefeld et Cologne. Ionesco reçoit le prix T. S. Eliot-Ingersoll à Chicago en présence de Saul Bellow et de Mircea Eliade. La revue allemande *Signatur* publie une plaquette intitulée *Souvenirs et dernières rencontres* (textes et gouaches de l'auteur).

1986 Publication de *Non*, traduit du roumain par Marie-France Ionesco, avec une préface d'Eugen Simion et une postface d'Ileana Gregori.

1987 Le 23 février, célébration, à la Huchette, du trentième anniversaire du *Spectacle Ionesco*, en présence du dramaturge, de son épouse et des comédiens qui, au fil des ans, se sont relayés pour jouer *La Cantatrice chauve* et *La Leçon*.

1988 Publication d'un journal, *La Quête intermittente*. Représentation, à Rimini, de *Maximilien Kolbe*, opéra dont le livret est d'Ionesco et la musique de Dominique Probst.

1989 En février, le jury du Pen Club présidé par Ionesco décerne le prix de la Liberté à Vaclav Havel, écrivain dissident qui, en décembre de la même année, deviendra président de la République de Tchécoslovaquie.

Le 7 mai, au cours de la Troisième Nuit des Molières organisée au Châtelet par Antenne 2 et l'Association professionnelle et artistique du théâtre, Jacques Mauclair prononce un discours de circonstance à l'issue duquel la comédienne Denise Gence (qui avait interprété *Les Chaises* avec Pierre Dux) remit un Molière à Ionesco que le public ovationna.

1990 Le 4 janvier, à l'occasion du décès récent de Samuel Beckett, *Le Nouvel Observateur* publie les réactions d'Ionesco dont voici un bref extrait : « Quand je pense à lui, il me revient en mémoire ce vers d'Alfred de Vigny : "Seul le silence est grand, tout le reste est faiblesse." Pour Beckett, la parole n'était que du bla-bla. Elle était inutile. »

1991 Parution du *Théâtre complet* dans la Pléiade, édité par Emmanuel Jacquart.

1993 Publication, en traduction italienne, du *Théâtre complet* (Pléiade) chez Einaudi.

1994 Le 28 mars, décès d'Ionesco à Paris. Obsèques à l'église orthodoxe des Saints-Archanges en présence du roi Michel de Roumanie et de nombreux comédiens, dont Jacques Mauclair, Tsilla Chelton et Michel Bouquet..

1995 Du 10 au 17 septembre, « Semaine Ionesco » à la Chapelle-Anthenaise avec exposition, rencontres et représentations *La Cantatrice chauve* (par les comédiens du théâtre de la Huchette), *La Leçon* et *Exercices de conversation* par le théâtre de l'Échappée sous la direction de François Béchu.

MISES EN SCÈNE ET RÉCEPTION

1. LES CRÉATIONS

1959 Le 20 août, diffusion de la pièce sur la B.B.C. dans la traduction de Derek Prouse.
Le 6 novembre, première mondiale, en langue allemande, au Schauspielhaus de Düsseldorf, dans une mise en scène de Karl-Heinz Stroux. Le rôle principal était tenu par Karl Maria Schley. (Voir p. 295 et s.)

1960 Le 22 janvier, création à l'Odéon-Théâtre de France. Mise en scène de Jean-Louis Barrault, décors de Jacques Noël, musique de Michel Philippot. Dans les rôles principaux : William Sabatier (Jean), Jean-Louis Barrault (Bérenger), Jean Parédès (le Logicien), Simone Valère (Daisy), Gabriel Cattand (Dudard), Régis Outin (Botard). En tournée, Michel Bouquet incarnait Bérenger et Éléonore Hirt, Daisy.
Le 28 avril, création à Londres, en langue anglaise, au Royal Court Theater, dans une mise en scène d'Orson Welles. Le prestigieux acteur Sir Laurence Olivier tenait le rôle de Bérenger et Joan Plowright celui de Daisy.
1960 fut pour la troupe allemande l'occasion d'une tournée dans toutes les grandes villes d'Allemagne et de quelques représentations au Danemark, en Finlande, en Hollande et en Suède.

1962   Roland Jay réalisa un enregistrement radiophonique
       commémoratif pour les cinquante ans d'Ionesco
       (qui, en fait, avait cinquante-trois ans), avec des
       comédiens suisses. Trente ans plus tard, le 29 no-
       vembre 1992, la pièce fut diffusée par la Radio
       Suisse Romande dans le cadre de l'émission «Boule-
       vard du théâtre».
       En 1962, dans une mise en scène de Robert Postec,
       la pièce est représentée en Israël (Haïfa).

1964   Reprise à Paris, au théâtre de France.
       Représentations en Roumanie (Bucarest, au théâtre
       de la Comédie) dans une mise en scène de Lucian
       Giurchescu.

1965   Le 27 avril, diffusion à la télévision française. Réali-
       sation de Roger Iglésis, mise en scène de Jean-Louis
       Barrault avec pour principaux interprètes : J.-L. Bar-
       rault, William Sabatier, Simone Valère et Jean Paré-
       dès.
       À Paris, au théâtre des Nations, représentations don-
       nées par le théâtre de la Comédie de Bucarest, avec
       Radu Beligan dans le rôle principal.

1966   Octobre, reprise à l'Odéon-Théâtre de France par la
       compagnie Renaud-Barrault.

1967   Représentations en Tchécoslovaquie (Prague).

1968   La pièce connaît un vif succès en Allemagne. Elle est
       représentée à Düsseldorf, Francfort, Hanovre, Karls-
       ruhe, Brème, Giessen, Fribourg, Hambourg, Cassel,
       Munich, Heidelberg et Bonn.
       Elle fut également représentée en Autriche (à
       Vienne) et en Suisse (à Bâle, Zurich et Berne).

1969   Représentations en Tchécoslovaquie (Brno).

1971   En février, reprise à Grenoble, à la Maison de la cul-
       ture, dans une mise en scène de Deryk Mendel, par
       la Comédie des Alpes.

1972   En janvier, reprise à Limoges, au Centre théâtral du
       Limousin, dans une mise en scène de J.-P. Laruy.
       En avril, à Lyon, au théâtre des Célestins. Reprise
       dans une mise en scène de Guy Lauzun et des décors

de Jacques Noël. William Sabatier tenait de nouveau le rôle de Jean.

1975 *Rhinocéros*, film de Tom O'Horgan avec Gene Wilder (Bérenger), Zero Mostel (Jean) et Karen Black (Daisy).

1978 En janvier : reprise au théâtre d'Orsay par la compagnie Renaud-Barrault. Nouvelle reprise en septembre.

1984 En janvier : reprise à Chelles, au Centre d'action culturelle, dans une mise en scène d'Arlette Téphany. En février, la pièce est jouée au théâtre de la Madeleine.

Saison 1991-92 : reprise au théâtre de Ménilmontant par la Compagnie Sganarelle.

1992 Du 2 au 11 juillet, Festival Ionesco des Hauts-de-Seine, théâtre de Neuilly, mise en scène de Jean-Pierre Fontaine qui tenait le rôle principal.

II. L'IMAGE DU RHINOCÉROS

L'image même du rhinocéros renvoie à une célèbre gravure d'Albrecht Dürer, exécutee en 1515. La perception que nous en avons est celle d'une masse impénétrable, composée de plaques et d'écailles, un monstre obtus contre lequel l'homme ne peut rien, perception que Claudel renforça dans *Le Livre de Job* : « Le rhinocéros, cette catapulte vivante, cette machine compacte, en bloc avec sa propre masse qui a pris soin d'édifier au bout de son nez son propre drapeau et le monument de sa revendication[1] [...]. »

D'autres artistes s'intéressèrent à cet animal, notamment Lepelletier qui créa un opéra intitulé *Rhinocéros* sur une musique de Charles Sivry, opéra joué en privé « chez le sculpteur Bertaux, en 1867, par Paul Verlaine, alors âgé de vingt-trois ans[2] ». Plus près de nous, un représentant

1. Cité par Giovanni Lista, *Ionesco*, éd. Henri Veyrier, 1989, p. 61.
2. *Ibid.*, p. 65.

haut en couleur du surréalisme, Salvador Dali, se fit photographier à New York en 1956, par Philippe Halsman, devant une tête de rhinocéros bicornu et intitula un de ses tableaux : «Chair de poule rhinocérontique[1] » (1956).

Comme l'unicorne, le rhinocéros figure dans l'iconographie contemporaine en raison de ses connotations phalliques et de sa dimension mythique. C'est cette dernière caractéristique qui retint l'attention d'Ionesco qui fit du rhinocéros l'emblème d'une pensée redoutable et sectaire.

III. L'ÉCRITURE SCÉNIQUE

En connaissance de cause, il *spatialise* son texte, le *rythme* et lui confère une dimension *audiovisuelle*, donc sensorielle. Ainsi l'écriture scénique fait partie intégrante du texte, ne se surajoute pas à lui. Nombreuses, les didascalies révèlent l'importance accordée au langage physique, comme le souligne une déclaration de *Notes et contre-notes* : «Mais tout est langage au théâtre : les mots, les gestes, les objets, l'action elle-même car tout sert à exprimer, à signifier[2]. » Dans le même ouvrage, Ionesco ajoute : «Il est donc non seulement permis, mais recommandé de faire vivre les objets, animer les décors, concrétiser les symboles.

»De même que la parole est continuée par le geste, le jeu, la pantomime, qui, au moment où la parole devient insuffisante, se substituent à elle, les éléments scéniques matériels peuvent s'amplifier à leur tour. L'utilisation des accessoires est encore un autre problème (Artaud en a parlé)[3]. » Sur ce point, la position d'Ionesco est d'ailleurs

---

1. Voir Robert et Nicolas Descharnes, *Salvador Dali*, Lausanne, Edita, 1993, respectivement p. 49 et p. 277. Dali fut également photographié à Paris, à la Galerie Petit en 1977 (photo, p. 61). Ionesco a, lui aussi, posé devant un rhinocéros. Voir *L'Avant-Scène*, n° 215, 1er mars 1960, p. 46.
2. P. 194.
3. P. 63.

conforme à une célèbre déclaration d'Artaud : « Je dis que la scène est un lieu physique et concret qui demande qu'on le remplisse, et qu'on lui fasse parler son langage concret[1]. »

L'écriture scénique doit donc avoir comme objectif la transposition concrète, la matérialisation physique, dans l'espace et le temps, par des moyens audiovisuels, du monde intérieur que l'auteur projette en manipulant divers matériaux.

L'élément le plus apparent de la mise en scène imaginée par Ionesco est ici le décor qui évolue suivant un découpage quadripartite. La pièce est découpée en trois actes, le second présentant deux tableaux. L'acte I évoque la place d'une bourgade provinciale, avec son église, son épicerie et son café. Le deuxième nous introduit dans le bureau d'une maison d'édition. Ici, selon un procédé shakespearien repris et adapté par Brecht, le dramaturge signale ses référents au moyen d'écriteaux : « ÉPICERIE », « CHEF DE SERVICE », « JURISPRUDENCE », « LE JOURNAL OFFICIEL ». Cette technique simple mais efficace, appliquée dès l'acte I, est reprise au tableau II : une porte vitrée, visible de l'appartement de Jean, est surmontée de l'inscription : « CONCIERGE ». Quant au dernier acte, il modifie très peu les données : à quelques détails près, la chambre de Bérenger « ressemble étonnamment à celle de Jean[2] ».

Ce décor traditionnel s'accompagne d'accessoires tout aussi traditionnels — pendule, lits, tableaux, téléphone —, à l'exception des tables et des chaises qui, par différenciation, symbolisent la hiérarchie du pouvoir parmi les employés. L'impression de réalisme visuel qui, en 1960,

---

1. *Le Théâtre et son double*, Gallimard, coll. « Folio essais », 1993, p. 55. Voici la suite de cette déclaration célèbre : « Je dis que ce langage concret, destiné aux sens et indépendant de la parole, doit satisfaire d'abord les sens, qu'il y a une poésie pour les sens comme il y en a une pour le langage, et que ce langage physique et concret auquel je fais allusion n'est vraiment théâtral que dans la mesure où les pensées qu'il exprime échappent au langage articulé » (p. 56).
2. P. 199.

semblait prévaloir fut modifiée lors de la reprise en 1978. Le metteur en scène et le décorateur étaient les mêmes, mais la stylisation fut accentuée.

Une difficulté technique majeure consistait à représenter la *transformation physique* de Jean. Ionesco trouva une solution en dotant la chambre de Jean d'un cabinet de toilette où l'acteur allongeait sa corne et accentuait la couleur verte de son maquillage.

Mais l'élément de poids dans une pièce fondée sur la métamorphose et la prolifération repose sur le *jeu des variations.* D'une part, celui-ci *rythme* l'écriture scénique et, d'autre part, il *modifie les significations.* Ainsi, selon les exigences du texte, le comportement et l'apparence des personnages se transforment : les voix deviennent rauques, les bruits vont crescendo ou decrescendo, les barrissements sont musicalisés et les têtes de rhinocéros sont « de plus en plus belles malgré leur monstruosité[1] ». Un tel ensemble chorégraphique montre à quel point Ionesco valorise le rythme. D'ailleurs, l'*accélération du tempo* et le phénomène de prolifération doivent nécessairement renforcer l'impression *d'encerclement* qu'éprouve Bérenger. Ainsi, loin d'être purement intellectuelle, la création se double d'une dimension quasiment physique.

Aidé de Jean-Louis Barrault, Ionesco fait systématiquement appel à la *technique de l'écho,* qui exploite soit l'analogie, soit le contraste. Ainsi, à l'acte I, Jean et le Logicien font tous deux une promenade — il y a *symétrie* par rapport à leur table respective —, puis « le Logicien se promène comme un instituteur » et Jean « comme un démonstrateur-mannequin ». Plus tard, tous deux « sont penchés sur leurs "patients" respectifs », puis ils « déambulent raides et doctes », « se croisent distraitement et disent leur réplique ensemble en se trompant de partenaire ». « Le Logicien se renverse sur sa chaise » et se balance, attitude qui sera reprise par Jean. À un autre moment « Jean tape fortement sur sa table » et, à la réplique suivante, le Logicien en fait

---

1. P. 252.

de même[1]. Ce *parallélisme des jeux de scène* renforce évidemment la correspondance entre le comportement « rhinocérique » de Jean et celui du Logicien. De même, à l'acte III, Bérenger reprend quelques attitudes adoptées par Jean à l'acte II, alors que celui-ci était en pleine métamorphose.

En résumé, la technique de l'écho a trois fonctions principales : suggérer par une réaction en chaîne les symptômes du mal, rythmer le jeu et — en début de pièce — susciter le comique.

IV. DEUX MISES EN SCÈNE MARQUANTES

1. Le spectacle de Karl-Heinz Stroux (1959)

Karl-Heinz Stroux, dont l'épouse dirigeait le Schauspielhaus de Düsseldorf, monta la pièce dans la traduction de Von Claus Bremer et de Christoph Schwerin. Le titre allemand (plus explicite que le titre français qui omet l'article défini) souligne clairement le pluriel : *Die Nashörner* (*Les Rhinocéros*), si bien que le public pouvait immédiatement déceler une référence à son histoire, à la métamorphose et à l'embrigadement d'une nation en « rhinocéros » sous la botte nazie. Citons à ce propos un chroniqueur, Alain Clément, correspondant du *Monde* en Allemagne : « L'accueil des spectateurs fut plus que vibrant. Le parterre le plus élégant d'Allemagne fit à l'œuvre une ovation interminable, les rappels durèrent une demi-heure. [... Le public a applaudi] maintes fois au cours du spectacle, évidemment pour chaque référence qui pouvait être appliquée au nazisme, parce qu'elle avait une signification spéciale. Dans la mise en scène de Stroux, l'allusion politique et la condamnation d'un totalitarisme fanatique qui mord sur les blessures encore mal cicatrisées, encore chaudes, était bien évidente.

---

1. Voir « *Rhinocéros*, notes de mise en scène de Jean-Louis Barrault présentées par Simone Benmussa » dans l'ouvrage de Simone Benmussa, *Ionesco*, Seghers, 1966, p. 119-121. Le texte est repris dans *Ionesco. Théâtre complet*, Pléiade, p. 1409-1420.

L'allusion n'était plus extérieure, elle était ressentie, elle était profonde. Elle exprimait l'âme d'un peuple qui essayait de secouer les chaînes d'une culpabilité et trouvait dans l'œuvre de Ionesco les moyens d'un "transfert" libérateur. *Rhinocéros* devenait un émouvant essai d'autoanalyse, un effort pathétique pour liquider les séquelles du nazisme [...]

» Dans la mise en scène de Stroux, la pensée de Ionesco se développait suivant les lois d'une logique qui n'était pas celle de l'absurde, qui n'était plus apparemment gratuite, elle se ramassait et frappait comme un poing, et dans le procès qu'elle faisait d'une aberration collective, trouvait son éloquence, sa vision saisissante[1]. »

L'interprétation de la pièce se trouvait préparée par le contenu du programme qui citait des extraits d'un ouvrage célèbre d'un médecin sociologue, Gustave Le Bon, intitulé *Psychologie des foules*[2]. Parmi ces citations signalons celles-ci :

Les foules ne connaissent que les sentiments simples et extrêmes, les opinions, les idées et les croyances qu'on leur suggère, sont acceptées ou rejetées par elles en bloc, et considérées comme vérités absolues ou erreurs non moins absolues[3].

Le type du héros cher aux foules aura toujours la structure d'un César. Son panache les séduit, son autorité leur impose et son sabre leur fait peur[4].

En fait, elles ont des instincts conservateurs irréductibles et, comme tous les primitifs, un respect fétichiste pour les traditions, une horreur inconsciente des nouveautés capables de modifier leurs conditions réelles d'existence[5].

De portée générale, ces citations d'un texte de 1895 se prêtaient cependant à une interprétation contemporaine ; bref, elles laissaient deviner en filigrane des référents

1. *Le Monde*, « Création triomphale à Düsseldorf du *Rhinocéros* d'Eugène Ionesco », le 6 novembre 1959.
2. P.U.F. / Quadrige (1963), 1988. L'édition originale date de 1895.
3. *Ibid.*, p. 27.
4. *Ibid.*, p. 28.
5. *Ibid.*, p. 28-29.

politiques de l'histoire récente et douloureuse du IIIe Reich, d'autant qu'un commentateur, Albert Schulze Vellinghausen, avait rédigé un texte qui en rappelait quelques-uns : « La fable est depuis les temps les plus reculés le moyen le plus proche pour formuler une opinion sans briser un tabou [...]. Chacun peut devenir un autre[1]. » La pièce est « remplie totalement et entièrement de "nos" expériences issues de la vie politique immédiate. Nous avons tous rencontré beaucoup trop de cas de folie absurde et officielle auxquels nous avons dû opposer de la résistance[2] ».

Vellinghausen propose ensuite quelques exemples frappants : « La doctrine *Blut und Boden* [sang et sol] », « la folie juridico-pédante de ce qu'on appelle les lois de Nuremberg », « la liquidation de millions de personnes », « la folie contagieuse de nos totalitarismes d'aujourd'hui[3] ».

Dans le contexte nazi ainsi défini, dont *Rhinocéros* offre quelques aperçus probants, un être tel que Bérenger — homme paisible et inoffensif qui ne demande rien à personne — devenant tout à coup pour l'appareil d'État un « dangereux non-conformiste », un ennemi, un corps étranger qu'il faut éliminer. Le troupeau ne l'accepte pas comme l'un des siens.

Pour parfaire le tout et préparer le public à accueillir la pièce et à en comprendre la portée, le programme présentait plusieurs photos : une foule sur un trottoir entourée d'un cordon de S.S., une foule « conformiste » portant le même chapeau et des soldats défilant au pas de l'oie derrière leur chef. Trois exemples donc, de l'instinct grégaire, de la loi du troupeau.

Ajoutons que dans la mise en scène de Stroux, certains comédiens portaient un masque de rhinocéros et un costume spécial en caoutchouc-mousse de couleur verte — couleur dominante des décors de la seconde partie — rappelant l'uniforme nazi. Jean portait un pyjama vert-

1. Ahmad Kamyabi Mask, « *Rhinocéros* » *au théâtre. Étude de mises en scène*, thèse de 3e cycle, Montpellier, 1977, t. I, p. 357.
2. *Ibid.*, t. I, p. 358.
3. *Ibid.*, t. I, p. 358

de-gris. Quant à la musique d'accompagnement composée par Enno Dugend, elle s'achevait sur la marche militaire préférée d'Hitler, la *Badenweiler Marsch*[1].

Ce même spectacle fut ultérieurement donné à Paris, au théâtre des Nations, en avril 1960, d'une façon efficace à laquelle contribuèrent les décors qui évoquaient la laideur de ce monde totalitaire «avec arrogance, avec détermination [...]»[2].

2. Les mises en scène de Barrault (1960 et 1961)

La création (1960)

Dans un entretien accordé à un chercheur le 19 février 1976, Barrault souligne qu'Ionesco lui avait donné carte blanche, mais qu'il assistait à toutes les répétitions[3]. Par ailleurs, il précise que son approche personnelle, libre de toute entrave à la fois dans le jeu et la mise en scène, n'était en rien influencée par un parti pris politique ou philosophique; et d'ajouter avec le sourire de l'humoriste : «Comme dit La Fontaine, les philosophes nous font cesser de vivre avant que l'on soit morts.» Quelques pages plus loin, il remarque : «Quand je vois quelquefois des mises en scène faites avec des procédés intellectuels, je vois au même moment quelque chose qui se démode[4].» D'ailleurs, nul besoin de faire appel à un système d'interprétation conceptuel, «Bérenger est de la race des enfants, c'est-à-dire innocent[5]», donc authentique.

La mise en scène fut réalisée progressivement, sans *a priori* idéologique, au cours du travail d'élaboration sur le plateau. La troupe imagina par exemple que les rhinocéros devaient refléter la couleur vert-de-gris des masses nazies et, de façon plus générale, les pratiques des pays totalitaires où l'on «abrutit les gens avec des slogans[6], etc.»

1. *Ibid.*, t. I, p. 367.
2. Jean Paget, *Combat*, 4 avril 1960.
3. *Mask*, *op. cit.*, t. II, p. 33.
4. *Ibid.*, t. II, respectivement p. 32 et p. 39.
5. *Ibid.*, t. II, p. 37.
6. *Ibid.*, t. II, p. 39.

L'approche de Barrault transparaît également dans le programme préparé pour la reprise de la pièce en tournée, pièce dont il dit : « De même que *La Cerisaie* est, par-delà la famille, la société et la métaphysique, avant tout une œuvre poétique, de même *Rhinocéros* de Ionesco, par-delà ses critiques politiques, sociales et humaines, est avant tout une œuvre comique. Elle appartient au théâtre de la satire. Outre l'utilisation de la forme absurde du langage (particulièrement au premier acte), on y trouve parfois la veine de Molière et l'humour sentimental de Charlie Chaplin. Ce qui est le plus solide et le plus sympathique dans *Rhinocéros* de Ionesco, c'est son inspiration qui est la "joie et le rire[1]". »

Cette remarque, soulignons-le, ne gomme nullement le fond sérieux de la pièce que reflète d'ailleurs le jeu des comédiens, particulièrement à l'acte I et à l'acte II, au fur et à mesure que l'on glisse dans le tragique. Ainsi, William Sabatier qui devint célèbre en interprétant le rôle de Jean, nous signale que dans la mise en scène de Barrault le début de la pièce était joué de façon comique afin que le sérieux ultérieur puisse être accepté et apprécié du public[2]. Mais, par ailleurs, son jeu était astreignant : « En très peu de temps, en coulisses, il fallait que je me barbouille de vert, la carapace était mise au début sous le pyjama […]. Je dévoilais de plus en plus de carapace verte et de maquillage tout en parlant. J'avais un mégaphone dans la main pour faire des rugissements[3]. » Sa voix devenait de plus en plus rauque, jusqu'à être inaudible à la fin. En outre le jeu évoluait : « Au début, je me tenais comme un homme normal qui commençait à verdir, puis après je commençais à avoir du plomb dans les jambes, et puis je marchais comme ça jusqu'au bout[4]. » C'est donc par petites touches qu'il amenait le personnage à se transformer en bête.

1. *Ibid.*, t. I, p. 435.
2. *Ibid.*, t. II, p. 103.
3. *Ibid.*, t. II, p. 104.
4. *Ibid.*, t. I, p. 107

La reprise (1961)

Barrault confia le rôle de Bérenger à un acteur exceptionnel, Michel Bouquet, dont Pierre Marcabru, chroniqueur connu, nous dit en 1961 : « Michel Bouquet est un
de nos meilleurs comédiens, un de ceux dont la présence
impose aux textes une rigueur essentielle : la cadence
dépouillée, l'émotion resserrée, l'affirmation d'une passion secrète. Michel Bouquet a un jeu opiniâtre où il entre
une sorte d'angoisse devant les gestes, une maladresse
furieuse qui se résout en des éclats magnifiques, et plus
encore une nervosité qui se dépasse, qui devient frémisse-
ment, violence, agressivité coupante et désespoir acharné.
Avec cela une voix admirable et la diction la plus intelligente qui se puisse trouver. Un comédien surprenant,
ce que doit être tout grand comédien, la surprise étant
l'arme première au théâtre.

»J'ai donc revu *Le Rhinocéros* (*sic*), pièce que je n'avais
point particulièrement aimée à sa création. On y sentait
alors une hésitation profonde devant les intentions, hésitation qui trouvait son alibi dans les pirouettes et les
parades de l'humeur boulevardière. C'était malin, vif, prudent, et plus proche de Labiche que d'Ionesco. Barrault
gardait ses distances et en restait à un premier acte farceur, le moins bon, qui démentait les deux autres. Le tragique était refusé ou adroitement escamoté. Il ne fallait
pas inquiéter les âmes parisiennes, si susceptibles dès qu'il
s'agit de leur tranquillité.

»Une certaine mollesse de l'acteur Barrault ajoutait
encore à cette impression de flou. Il n'était plus question
d'un homme seul contre tous, il n'était plus question d'une
mutation gigantesque, d'une catastrophe effroyable, mais
plus simplement d'un conte fantastique teinté d'humour
philosophique. Nous n'étions pas directement concernés
par ce divertissement, et ce divertissement n'était jamais
qu'un avertissement, qu'une morale déguisée.

»Avec Michel Bouquet, il en est autrement. Dès les premières répliques, on sait que Bérenger n'est pas solidaire de l'univers social, qu'il en subit seulement l'absurdité, que Bérenger est un homme seul, et cela avant que les rhinocéros aient fait leur apparition. L'aventure intellectuelle est immédiatement reconnue : il y a Bérenger, et il y a les autres. Et ce malaise d'être au milieu des autres, et de ne pas se retrouver en eux, éclaire tout le premier acte.

» Second acte : la mutation. Sous l'œil de Bérenger un homme devient rhinocéros, et cet homme est son ami. Avec Barrault l'effarement dominait ; avec Bouquet, c'est l'incompréhension, une sorte d'impossibilité d'imaginer, d'accepter cette transformation. Bérenger, jusqu'à la dernière seconde, ne peut croire à la réalité de cette mutation. Et il n'y croit pas, non point par naïveté, mais parce qu'il ne porte pas cette mutation en lui, parce qu'elle lui est étrangère. La scène prend alors une force étonnante. William Sabatier y est remarquable, bien qu'il en fasse parfois un peu trop[1]. »

Ajoutons que le 27 avril 1965 la pièce trouva sa consécration dans sa diffusion à la télévision française, dans une réalisation de Roger Iglésis. Celle-ci s'ouvrait sur une déclaration de Barrault dont nous citerons un bref extrait : « Le sujet occasionnel du rhinocéros (*sic*) est précis : l'invasion, par les troupes nazies d'un pays paisible et charmant comme la Roumanie, ou une région méditerranéenne, la couleur de la peau des rhinocéros ressemblant singulièrement aux uniformes vert-de-gris des militaires. Le sujet se développe ensuite en profondeur : devant la force, la puissance d'un régime triomphant qui, par les slogans de sa propagande — journaux, radio, télévision, etc. — sait pratiquer l'intimidation ; la majorité des hommes est vulnérable. Celui qui ne sait pas riposter avec une égale force de caractère, ou qui sent en lui un sentiment croissant de culpabilité, celui-là finit par capituler. Il renonce alors à lui-même, et devient pareil, tout pareil, exactement pareil aux autres. Dangereuse maladie moderne, contagieuse, que

---

1. *Ibid.*, t. I, p. 435-437.

l'on peut appeler la *"rhinocérite"*. Malheur, désormais, à celui qui veut sauvegarder sa personnalité. Hé bien, il s'agit pourtant de cela : il s'agit de résister à cette planification de l'humanité : le sujet de Ionesco est donc un sujet grave ; mais il se trouve qu'à l'instar de ses maîtres, Molière et Charlie Chaplin, Ionesco est foncièrement un auteur comique. C'est donc en clown triste, farfelu et gentil, écorché et burlesque, qu'il traite ces situations[1]. »

V. LA MISE EN SCÈNE
DE GUY LAUZIN (1972)[2]

À Lyon, au théâtre des Célestins (19 avril - 11 mai 1972), Guy Lauzin mit en scène *Rhinocéros*, avec dans les rôles principaux : William Sabatier (Jean), Jacques Duby (Bérenger), Philippe Brigaud (Dudard) et Fred Personne (Botard). Lauzin partait d'une conception différente de celle de Barrault, idéologiquement engagée, comme le suggère William Sabatier qui eut la chance de jouer le même rôle lors de la création de la pièce, puis en 1972 sous la direction de Lauzin à propos de qui il affirme : « Il avait pensé que Barrault avait trop insisté sur le côté farce, sur le côté amusant de la pièce [...] et il l'a montée d'une façon beaucoup plus brechtienne[3] », la dotant en filigrane d'un message social et politique. Ceci est moins surprenant qu'il n'y puisse paraître. Il n'est certes pas possible de faire ici l'historique du théâtre engagé, du théâtre de combat, prosélytique, résolument engagé. Pour nous en tenir à un survol extrêmement rapide de la seconde moitié du XXᵉ siècle, rappelons que depuis le début des années cinquante, depuis l'avènement du brechtisme à Paris (brechtisme qui bénéficia fréquemment de l'appui du parti communiste français), nombreux sont les professionnels

---

1. *Ibid.*, t. I, p. 461.
2. En 1975, Guy Lauzin et Daniel Benoin furent nommés codirecteurs de la Comédie de Saint-Étienne.
3. Mask, *op. cit.*, t. II, p. 102.

du spectacle qui envisagent le théâtre comme un art à mission sociale et politique, et le metteur en scène comme un maître de lecture et — ce qui n'est pas sans danger —, comme un maître à penser.

Les représentants et adeptes de ce théâtre contestataire — il est juste de le rappeler — se distinguent rarement par leur ouverture d'esprit et leur esprit de tolérance. Prompts à critiquer, contester et condamner, ils se sentent visés dès qu'on aborde leur domaine préféré, le champ social et politique. Un exemple symptomatique : un article de Guy Leclerc dans *L'Humanité* du 25 janvier 1960, article dont le sous-titre est déjà révélateur : « *Rhinocéros* d'Eugène Ionesco (*Pièce à thèses*) ». À la question de savoir ce que représentent les rhinocéros, Leclerc avance d'abord quatre hypothèses : « ce sont les fascistes », « ce sont les hommes qui sacrifient à tous les conformismes, à toutes les modes, à tous les snobismes, enfin ceux qui suivent la foule (et la composent) », « ce sont *tous* les hommes », et, ajoute-t-il avec quelque aigreur, « ce sont les communistes. Preuves à l'appui : il n'y a pas besoin de preuves ; partout où il se passe quelque chose les communistes en sont responsables ». Cette dernière remarque où perce l'ironie est suivie d'une « critique » en forme de règlement de compte avec l'auteur : « Ses pièces en un acte étaient à charge pleine et percutaient. Ses pièces en trois actes (*Rhinocéros* comme *Tueur sans gages*) sont à charge creuse et "foirent" comme on dit dans l'artillerie. » Et de dénoncer les partisans d'Ionesco : « Les rhinocéros, ce sont les ionesciens [...]. » Il achève alors son propos en changeant de ton, de façon apparemment plus équitable. En fait, il s'agit d'une pirouette qui le tire aisément d'affaire : « En réalité, je crois bien que les rhinocéros sont les partisans et les dupes des totalitarismes, mais je ne vois pas pourquoi les critiques devraient toujours s'exprimer plus clairement que les auteurs et s'interdire toute fantaisie. »

BIBLIOGRAPHIE CHOISIE

SOURCE BIBLIOGRAPHIQUE

Leiner, Wolfgang et *al.*, *Bibliographie et index thématique des études sur Ionesco*, Fribourg, Suisse, Éd. Universitaires, 1980.

ŒUVRES DE L'AUTEUR

1. *Pièces réunies en volumes*

Édition critique de référence : Jacquart Emmanuel, éd., *Théâtre complet*, Gallimard, Pléiade, 1991 (augmentée 1996). Comprend : Préface, chronologie, notices, notes, iconographie, documents, bibliographie et deux pièces inédites.

Théâtre I, Gallimard, 1954 : *La Cantatrice chauve, La Leçon, Jacques ou la Soumission, Les Chaises, Victimes du devoir, Amédée ou Comment s'en débarrasser.*

Théâtre II, Gallimard, 1958 : *L'Impromptu de l'Alma, Tueur sans gages, Le Nouveau Locataire, L'Avenir est dans les œufs, Le Maître, La Jeune Fille à marier.*

Théâtre III, Gallimard, 1963 : *Rhinocéros, Le Piéton de l'air, Délire à deux, Le Tableau, Scène à quatre, Les Salutations, La Colère.*

Théâtre IV, Gallimard, 1966 : *Le roi se meurt, La Soif et la Faim, La Lacune, Le Salon de l'automobile, L'Œuf dur, Le Jeune Homme à marier, Apprendre à marcher.*

Théâtre V, Gallimard, 1974 : *Jeux de massacre, Macbett, La Vase, Exercices de conversation et de diction françaises pour étudiants américains.*

Théâtre VI, Gallimard, 1975 : *L'Homme aux valises* suivi de *Ce formidable bordel !*

Théâtre VII, Gallimard, 1981 : *Voyages chez les morts. Thèmes et variations.*

Dans la collection « Folio théâtre » :

La Cantatrice chauve, éd. Emmanuel Jacquart, 1993.
La Leçon, éd. Emmanuel Jacquart, 1994.
Les Chaises, éd. Michel Lioure, 1996.
Le Roi se meurt, éd. Gilles Ernst, 1997.

Dans la collection « Folio » :

La Cantatrice chauve. La Leçon, 1972.
Le roi se meurt, 1973.
Les Chaises. L'Impromptu de l'Alma, 1973.
Tueur sans gages, 1974.
Macbett, 1975.
Rhinocéros, 1976.
Victimes du devoir, 1990.

2. Récits

La Photo du colonel, Gallimard, coll. « Blanche », 1962.
Le Solitaire, Mercure de France, 1973, et Gallimard, coll. « Folio », 1976.
Contes. Ces quatre contes pour enfants furent publiés chez Gallimard (coll. « Folio Benjamin »), de 1983 à 1985, après l'avoir été par d'autres éditeurs.

3. Journaux intimes

Journal en miettes, Mercure de France, 1967, et Gallimard,
coll. « Folio essais », 1993.
Présent passé. Passé présent, Mercure de France, 1968, et Gallimard, coll. « Idées », 1976.
La Quête intermittente, Gallimard, coll. « Blanche », 1988.

4. Recueils d'articles

Antidotes, Gallimard, coll. « Blanche », 1977.
Un homme en question, Gallimard, coll. « Blanche », 1979.

5. Esthétique et critique

Non, trad. Marie-France Ionesco, Gallimard, coll. « Blanche »,
1986.
Hugoliade, trad. Dragomir Costineanu, Gallimard, 1982.
Notes et contre-notes, Gallimard, coll. « Pratique du théâtre »,
1962, et « Folio essais », 1991. Ouvrage fondamental.
Découvertes, Albert Skira, 1969. Illustrations de l'auteur.
Pour la culture, contre la politique. Für Kultur, gegen Politik,
Saint-Gall, Erker-Verlag, 1979.

6. Divers

Mise en train, éd. Michel Benamou, The Macmillan Co,
1969 (Ionesco a rédigé les dialogues de ce manuel).
Pavel Dan, Le Père Urcan, Marseille, éd. Jean Vigneau, 1945
(trad. du roumain par Ionesco et Gabrielle Cabrini).
Le Blanc et le Noir, Gallimard, coll. « Blanche », 1985. Illustré de 15 lithographies de l'auteur (original publié par
Ed. Erker, Franz Larese et Jürg Janett, 1981).
La main peint. Die Hand malt, Saint-Gall, Erker-Verlag,
1987. Pour les scénarios, les ballets et les livrets d'opé-
ras, on se reportera à l'édition critique du *Théâtre complet*, Gallimard, Pléiade, 1991, p. CXIV-CXVI.

Ruptures de silence. Rencontres avec André Coutin, Mercure de France, 1995.

OUVRAGES CRITIQUES

1. *Sur l'œuvre d'Ionesco en général*

ABASTADO, Claude, *Ionesco*, Bordas, 1971.

BENMUSSA, Simone, *Ionesco*, Seghers, 1966.

BIGOT, Michel et SAVÉAN, Marie-France, *La Cantatrice chauve* et *La Leçon*, Gallimard, coll. « Foliothèque », 1991.

BONNEFOY, Claude, *Entretiens avec Eugène Ionesco*, Belfond, 1966. Repris sous le titre *Entre la vie et le rêve*, Belfond, 1977.

BRADESCO, Faust, *Le Monde étrange d'Eugène Ionesco*, Promotion et Édition, 1967.

CLEYNEN-SERGHIEV, Ecaterina, *La Jeunesse littéraire d'Eugène Ionesco*, P.U.F., 1993.

COE, Richard, *Ionesco. A Study of his Plays*, Londres, Methuen & co., 1971 (1961).

DONNARD, Jean-Hervé, *Ionesco dramaturge ou l'Artisan et le Démon*, Minard, 1966.

HAMDAN, Alexandra, *Ionescu avant Ionesco : portrait de l'artiste en jeune homme*, P. Lang, 1993.

IONESCO, Gelu, *Les Débuts littéraires roumains d'Eugène Ionesco (1926-1940)*, Heidelberg, Carl Winter Universitätverlag, 1989.

IONESCO, Marie-France et VERNOIS, Paul, *Colloque de Cerisy. Ionesco. Situation et perspectives*, Belfond, 1980.

JACQUART, Emmanuel, *Le Théâtre de dérision*, Gallimard, coll. « Idées », 1974, Gallimard, coll. « Tel », 1998, éd. revue et augmentée.

JACQUART, Emmanuel, éd., *Ionesco. Théâtre complet*, Gallimard, Pléiade, 1991. Contient une bibliographie détaillée et commentée.

JACQUART, Emmanuel, éd., *La Cantatrice chauve*, Gallimard, coll. « Folio théâtre », 1993.

Jacquart, Emmanuel, éd., *La Leçon*, Gallimard, coll. « Folio théâtre », 1994.

Lamont, Rosette, éd., *Ionesco, a Collection of Critical Essays*, Englewood Cliffs, New Jersey, Prentice-Hall Inc., 1967.

Lamont, Rosette et Friedman, Melvin, éd., *The Two Faces of Ionesco*, Troy, New York, The Whitston Publishing Company, 1978.

Lamont, Rosette, *Ionesco's Imperatives. The Politics of culture*, The University of Michigan Press, 1993.

Laubreaux, Raymond, *Les Critiques de notre temps et Ionesco*, Garnier, 1973 (extraits d'articles).

Lazar, Moshe, éd., *The Dream and the Play. Ionesco's Theatrical Quest*, Malibu, Californie, Undena Publications, 1982 (actes d'un colloque tenu à Los Angeles, à l'Université de Californie du Sud).

Lista, Giovanni, *Ionesco*, éd. Henry Veyrier, 1989. Contient une bibliographie abondante.

Plazy, Gilles, *Eugène Ionesco. Biographie*, Julliard, 1994.

Saint Tobi, *Eugène Ionesco ou À la recherche du paradis perdu*, Gallimard, coll. « Les Essais », 1973.

Sénart, Philippe, *Eugène Ionesco*, Éditions Universitaires, coll. « Classiques du xxᵉ siècle », 1964.

Vernois, Paul, *La Dynamique théâtrale d'Eugène Ionesco*, Klincksieck, 1992 (1972). Contient une bibliographie abondante.

2. *Sur* Rhinocéros

Ionesco, *Notes et contre-notes*, « Folio essais ». Contient : préface de l'auteur pour l'édition scolaire américaine de *Rhinocéros* (p. 273-275) ; « Interview du transcendant satrape Ionesco par lui-même » (p. 275-280) ; « Rhinocéros » (entretien avec Claude Sarraute, p. 281-282) ; « Note sur *Rhinocéros* » (p. 282-284) ; « À propos de *Rhinocéros* aux États-Unis » (p. 284-288).

Cahiers de la compagnie Madeleine Renaud - Jean-Louis Barrault : « Les Rhinocéros au théâtre », nº 29, 1960 et « Ionesco : *Rhinocéros* », nº 97, 1978 (ce dernier numéro propose un

article de Barrault et un autre d'Albert Schulze-Velling-
hausen, « Fables pour aujourd'hui », p. 49-54).

3. *Comptes rendus sur* Rhinocéros

GAUTIER, Jean-Jacques, « À l'Odéon : *Rhinocéros* d'Eugène
Ionesco », *Le Figaro*, 25 janvier 1960.

MARCABRU, Pierre, « Un rhinocéros chasse l'autre… Bouquet remplace Barrault : une pièce renaît », *Arts*, 11 janvier 1961.

POIROT-DELPECH, Bertrand, « *Rhinocéros* d'Eugène Ionesco
au théâtre de France », *Le Monde*, 24 janvier 1960.

VALOGNE, Catherine, « Dialogue avec Ionesco sur Ionesco
et *Le Rhinocéros* », *Lettres françaises*, 21 janvier 1960.

Parmi les très nombreux comptes rendus parus dans des
revues, journaux nationaux et régionaux lors de la création de la pièce en 1960 on pourra également se référer
à la sélection suivante : *Combat*, 25 janvier (Marcelle
CAPRON) ; *La Croix*, 9 février (Jean VIGNERON) ; *Eaux
vives*, avril (Anne GITEAU) ; *L'Éclair de l'Ouest*, 17 février
(Raymond LAUBREAUX), *L'Espoir*, 27 janvier (Guy VER-
DOT) ; *Études*, mars 1960 (Robert ABIRACHED) ; *L'Express*,
28 janvier (Robert KANTERS) ; *Le Figaro littéraire*, 23 jan-
vier (Jean-Paul WEBER) et 30 janvier (Jacques LEMAR
CHAND) ; *France Observateur*, 29 janvier (Jean SELZ) ;
Gazette de Lausanne, 23 janvier (Franck JOTTERAND) ·
Lettres françaises, 28 janvier / 3 février (Elsa TRIOLET) ;
Libération, 26 janvier (Paul MORELLE) ; *Mercure de
France*, mars (Béatrice DUSSANE) ; *Les Nouvelles litté-
raires*, 28 janvier (Gabriel MARCEL) ; *La Revue de Paris*,
mars (Thierry MAULNIER) ; *Témoignage chrétien*, 29 avril
(André ALTER)

4. *Documents recommandés* (arrière-plan historique et social, réflexions philosophiques, témoignages)

Ouvrages

ARENDT, Hannah, *Le Système totalitaire*, trad. J.-L. Bourget R. Davreu, P. Lévy, Le Seuil, 1972.

ARENDT, Hannah, *La Nature du totalitarisme*, trad. Michelle-Irène de Launay, Payot, 1990.

ARON, Raymond, *L'Opium des intellectuels*, Gallimard, coll. «Idées», 1968 (original : Calmann-Lévy, 1955).

CIORAN, Emil, *Histoire et utopie*, Gallimard, coll. «Folio essais», 1960.

COURTOIS, Stéphane, WERTH, N., PANNÉ, J.-L., PACZ-KOWSKI, A., BARTOSEK, K., MARGOLIN, J.-L., *Le Livre noir du communisme*, Robert Laffont, 1997.

DELACAMPAGNE, Christian, *Histoire de la philosophie du XXᵉ siècle*, Le Seuil, 1995 (notamment le chapitre III : «Penser Auschwitz»).

GIDE, André, *Retour de l'U.R.S.S.*, suivi de *Retouches à mon retour de l'U.R.S.S.*, Gallimard, coll. «Idées», 1978.

KOESTLER, Arthur, *Œuvres autobiographiques*, Robert Laffont, coll. «Bouquins».

LACOUE-LABARTHE, Philippe, NANCY, Jean-Luc, *Le Mythe nazi*, Éd. de l'Aube, coll. «Poche / essai», 1996.

PASQUALINI, Jean, *Prisonnier de Mao. Sept ans dans un camp de travail en Chine*, Gallimard, 1975 (rééd. «Folio», 1976).

SCHIRER, William, *The Rise and Fall of the Third Reich. A History of Nazi Germany*, Fawcett Publications, Greenwich, Connecticut, 1966 (1959).

SOUCY, Robert, *Le Fascisme français, la première vague, 1924-1933*, P.U.F., 1989 (original en anglais).

SOUVARINE, Boris, *Staline, aperçu historique du bolchevisme*, Plon, 1935 (rééd. Ivréa, 1995).

Documents audiovisuels

Diffusés sur Arte :

Ein einfacher Mensch. Un homme simple. Film de Karl Frucht-
mann, production NDR, 1986. Diffusion le 26 janvier
1995, dans le cadre d'une soirée thématique intitulée
« Auschwitz, 50 ans après. Comment en parler ». A obtenu
le Prix Adolf Grimme, 1987.

Hitler, un inventaire (en 6 parties). Réalisation : Guido
Knopp et Maurice Rémy, 1995. Diffusion : 2 juillet,
9 juillet, 16 juillet, 23 juillet, 30 juillet, 6 août 1997.

Hitler, Helser. Réalisation : Guido Knopp, Harald Schott,
1996. Diffusion 2 octobre, 9 octobre, 16 octobre,
30 octobre, 6 novembre, 13 novembre 1996. Rediffusé à
partir du 11 février 1998 dans le cadre de l'émission
« Les mercredis de l'histoire ».

Shoah. Réalisation : Claude Lanzmann, Films Aleph et
ministère de la Culture. Durée : 9 heures. Diffusion :
3 février et 5 février 1998.

Diffusés sur Planète :

Au nom de la race. Diffusion : 23 mai 1994.

Les Messagers de l'ombre. De la libération à l'épuration. Diffusion : 26 juin 1994.

Diffusé sur FR3 :

Le Struthof, un camp de concentration nazi en Alsace (de mai
1940 à novembre 1944). Diffusion : 6 septembre 1995.

NOTES

Page 33.

1. À la création de la pièce, certains chroniqueurs firent un usage erroné du titre, *Rhinocéros* devenant *Le Rhinocéros* sous leur plume. Ainsi, Catherine Valogne publia un entretien intitulé : « Dialogue avec Ionesco sur Ionesco et *Le Rhinocéros* » (*Lettres françaises*, 21 janvier 1960), entretien dans lequel Ionesco lui-même avait recours à l'article : « Peut-être, affirmait-il, *Le Rhinocéros* est-il pour un public plus large que celui que j'ai en général [...]. » Vingt-six ans plus tard, dans un autre entretien — inséré dans une édition scolaire —, l'auteur répondit à la demande d'éclaircissements de son interlocuteur :

« ABASTADO : dans certaines éditions, la pièce est intitulée *le Rhinocéros* ; dans l'édition du théâtre complet (*sic*), le titre est *Rhinocéros*. Que faut-il dire (ou écrire) ? Le mot "rhinocéros" est-il au singulier ou au pluriel ?

IONESCO : *Rhinocéros* est peut-être au singulier, peut-être au pluriel. Je joue sur l'équivoque orthographique. Finalement, à mon avis, ce devrait être plutôt au singulier . il s'agirait de la totalité rhinocérique. On dit *Rhinocéros* évidemment, et non *le rhinocéros*. Dans la collection du Manteau d'Arlequin, le correcteur a cru bien faire en mettant l'article. Trop paresseux pour corriger — ou trop négligent, aux réimpressions successives — la correction du correcteur… » (*Rhinocéros*, éd. Claude Abastado, Bordas, coll. « Univers des Lettres Bordas », 1986, p. 48). On notera que la première réaction d'Ionesco à la question posée est quelque peu hésitante, si bien que nous restons perplexes.

Page 36

1. L'opposition de tempérament et de point de vue entre Jean et Bérenger est reflétée physiquement, théâtralement, dans leur apparence et leur tenue vestimentaire. Jean commente longuement celle de Bérenger (p. 39-42). Dans ces pages, Ionesco offre un double portrait. On notera l'opposition des personnages à travers des remarques telles que, d'une part : « Vous êtes dans un triste état, mon ami » (p. 39), « Vous puez l'alcool ! » (p. 39), « Quel désordre ! » (p. 41), « […] on s'ennuie dans cette ville » (p. 42), « Non, je ne m'y fais pas, à la vie » (p. 43) et, d'autre part, « De la volonté, que diable ! » (p. 43), « L'homme supérieur est celui qui remplit son devoir » (p. 43). On sait que les notions de volonté et de devoir furent fortement valorisées par les régimes totalitaires.

Page 51.

1. Le type du Logicien qui déraisonne apparaissait déjà dans *Non* à propos d'une question dérisoire. Quatre savants polémiquent à propos de trèfles à quatre feuilles : « Étymologiquement le mot "trèfle" signifie trois feuilles, le trèfle à quatre feuilles n'est par conséquent qu'une flagrante contradiction dans les termes.

» Les trois autres savants […] soutenaient d'ailleurs une thèse séduisante : la réalité du trèfle est irrationnelle, illogique ou plus exactement a-logique, on ne saurait donc lui appliquer les critères de la logique.

» L'existence du trèfle à quatre feuilles est impossible selon la logique, elle est possible selon la vie. » Le quatrième savant prend alors la « défense de l'esprit logique et l'affirmation que la réalité est effectivement soumise au principe de la logique […] » (*Non*, coll. « Blanche », p. 232).

Le Logicien de *Rhinocéros* et les savants loufoques de *Non* partagent la même approche réductrice : ils forcent la réalité concrète, complexe et polymorphe, dans le moule d'une logique par essence abstraite, dont ils font une grille d'interprétation infaillible.

Page 57.

1. Syllogisme : opération de logique déductive qui, de deux propositions appelées *prémisses*, en tire une troisième, la conclusion. Avec délectation, Ionesco va déformer (voir p. 71) un exemple extrêmement connu : 1. Tous les hommes sont mortels [majeure] ; 2. or, je suis un homme [mineure] ; 3. donc, je suis mortel [conclusion]. Pour lui le raisonnement purement formel paraît étranger au réel.

Page 59.

1. *La vie est un rêve* : Ionesco reprend sciemment le titre d'une pièce de Calderón (1600-1681) : *La vie est un rêve* (1635).

2. Allusion à une fable de La Fontaine intitulée « Les Animaux malades de la peste » qui s'ouvre sur ces vers :

> *Un mal qui répand la terreur,*
> *Mal que le Ciel en sa fureur*
> *Inventa pour punir les crimes de la terre,*
> *La Peste (puisqu'il faut l'appeler par son nom),*
> *Capable d'enrichir en un jour l'Achéron,*
> *Faisait aux Animaux la guerre.*

Page 67.

1. Bérenger ressemble à Ionesco qui, dans *Journal en miettes*, nous confie : « Les satisfactions que j'ai cherchées pour combler une vie, un vide, une nostalgie et que j'ai

obtenues ont réussi parfois, mais si peu, à masquer le malaise existentiel. [...] J'ai toujours essayé de vivre, mais je suis passé à côté de la vie » (p. 26). Il ajoute plus loin : « J'ai toujours eu une mauvaise cénesthésie : mal à l'aise dans ma peau. D'où la nécessité des euphorisants ou de la boisson... » (« Folio essais », p. 48).

Page 68.

1. Dans cette page et celles qui suivent deux conversations s'entrecroisent. D'abord indépendantes, elles finissent par se rejoindre, p. 75-79, où des répliques sont reprises littéralement (« Le Vieux Monsieur : c'est compliqué / Bérenger, à Jean : c'est compliqué », p. 75, etc.) Cette technique est devenue fréquente dans le théâtre contemporain.

Page 70.

1. « Les morts sont plus nombreux que les vivants ». Ionesco s'inspire ici d'une phrase de Gustave Le Bon : « Infiniment plus nombreux que les vivants, les morts sont aussi infiniment plus puissants qu'eux. Ils régissent l'immense domaine de l'inconscient, cet invisible domaine qui tient sous son empire toutes les manifestations de l'intelligence et du caractère. » (*Les Lois de l'évolution psychologique.* Phrase citée par Jean-Marc Rodriguès, *XXᵉ siècle*, t. I, Bordas, 1988, p. 25.)

Page 71.

1. « Donc Socrate est un chat » : voir note 1 de la page 57.

Page 80.

1. Dans ses pièces, Ionesco fait parfois allusion à lui-même, le plus souvent avec le sourire. On citera à cet égard *L'Impromptu de l'Alma*, où l'un des personnages mis

en scène se nomme Ionesco, dramaturge pris à parti par trois critiques caricaturaux incarnant respectivement Roland Barthes, Bernard Dort et Jean-Jacques Gautier qui avaient censuré ou brocardé l'auteur.

Page 87.

1. « Oh ! un rhinocéros ! » : ce procédé de reprise en écho, reprise littérale ou modulée selon une technique fréquente en musique, se retrouve p. 88, 89, 92-93, 156, 157, 163-164, 167. Il permet le plus souvent de susciter le comique.

Page 98.

1. « Espèce d'Asiatique » : on le sait, le racisme joua un rôle fondamental dans le développement de l'idéologie nazie, qui exploita l'antisémitisme, la xénophobie et la haine de tous ceux qu'il appelait les « sous-hommes ». Sur cette question complexe aux ramifications sociales, philosophiques et politiques, on pourra consulter un ouvrage de Christian Delacampagne (*Histoire de la philosophie au xxᵉ siècle*, chapitre intitulé « Penser Auschwitz », p. 172-236), et surtout les écrits de Hannah Arendt ou l'ouvrage édité par Léon Paliakov, *Histoire de l'antisémitisme (1945-1993)*, Le Seuil, 1994. Ionesco fait ici des variations sur ce thème, p. 98-100 et p. 188.

Page 117.

1. Au début des années cinquante, Ionesco travailla lui aussi pour une maison d'édition juridique. (Voir *Théâtre complet*, Pléiade, p. LXXIX.)

Page 120.

1. Le terme « chef » (souvent utilisé par le régime nazi) revient plusieurs fois, d'abord ironiquement dans la

bouche de Botard, puis respectueusement dans celle de Dudard (p. 134, p. 143). Bérenger lui-même y aura recours p. 161.

Page 136.

1. Il faut évidemment substituer le mot «Soviétiques» au mot «Ponténégrins».

Page 154.

1. Le phénomène de la prolifération, qui est à la fois thème et mécanisme dramaturgique, est une constante du théâtre d'Ionesco. Qu'on songe à la prolifération des Bobby Watson dans *La Cantatrice chauve*, des nombres et des langues dans *La Leçon*, des chaises dans la pièce du même nom, des meubles dans *Le Nouveau Locataire*, etc. Sur ce point, voir Ionesco, *Théâtre complet*, Pléiade, p. 1596-1600. La prolifération, mécanisme hyperbolique comme la colère et la passion amoureuse ou ludique, se caractérise par un phénomène d'emballement, de réduplication, de propagation de proche en proche dans une sorte d'élan.

Page 188.

1. Bérenger est prompt à percevoir les limites d'un tel raisonnement : dans une démocratie, le droit des uns ne doit pas mettre en péril le droit des autres. Tolérer, oui, sauf l'intolérance. Or, Bérenger, qui relance le débat par une question («Vous rendez-vous compte de la différence de mentalité?»), doute que la «mentalité sectaire et expansionniste» des rhinocéros s'accompagne d'une telle compréhension.

Page 189.

1. La morale : le terme, énoncé cinq fois sous une forme vigoureuse et dépréciative figure dans une phrase-

clef («Il faut dépasser la morale») qui fait sciemment
écho à un ouvrage de Nietzsche, *Par delà le Bien et le Mal*
qui, on le sait, a donné lieu à diverses dérives à travers la
propagande nazie dirigée par Goebbels. Chez Nietzsche,
la «moralité du maître» (qu'il oppose à la «moralité de
l'esclave») veut réhabiliter le corps, l'instinct et la passion
(mais en refusant la mentalité du troupeau). C'est ainsi
que Jean substitue à la morale la *nature* (terme prononcé
trois fois afin que le public prenne pleine conscience de
l'enjeu) qui dictera ses *lois*. Or, qui dit «loi» dit nécessairement «autorité», autorité ici fondée sur l'instinct — ce
qui a de quoi inquiéter. Aussi Bérenger rétorque-t-il judi-
cieusement que cela reviendrait à instaurer la «loi de la
jungle», celle de la force et de la ruse.

2. «J'y vivrai, j'y vivrai» : Jean s'obstine comme le souligne la répétition du terme au futur. Il s'agit même d'une
obligation qu'on doit imposer à tous : «Il faut reconstituer
les fondements de notre vie. Il faut retourner à l'intégrité
primordiale.» Ce retour problématique, voire *mythique*,
aux origines rappelle les idées nazies sur la race aryenne,
sa pureté et sa supériorité. Sur le mythe, voir Mircea Eliade,
Aspects du mythe, «Folio essais», 1988, p. 68-69, cité dans
Emmanuel Jacquart commente «Rhinocéros» d'Eugène Ionesco,
Foliothèque, 1995, p. 120-122.

Page 190.

1. «Démolissons tout cela» : alors que Bérenger tente
de préserver l'inestimable patrimoine culturel apporté par
la civilisation, Jean veut s'en débarrasser, faisant ainsi écho
au *Crépuscule des idoles* (1889) de Nietzsche auquel Ionesco
se réfère. Dans cet ouvrage contestataire, le philosophe
allemand s'en prend aux valeurs traditionnelles, à la morale
et à la religion chrétiennes considérées comme hostiles à
la vie. De même, il s'attaque à Socrate, à Platon et plus
généralement aux sages de l'Antiquité, considérés comme
des «symptômes de dégénérescence». Cette volonté de
condamner et d'excommunier, caractéristique de tous les

totalitarismes, sera reprise par les nazis qui brûlèrent les ouvrages proscrits (émanant de Freud, de Marx, d'auteurs juifs, etc.) et, comme les Soviétiques, condamnèrent la peinture d'avant-garde jugée décadente.

Page 200.

1. «De la volonté» : récurrence d'un thème esquissé p. 43 par Jean et repris par Dudard p. 212.

Page 209.

1. «Il y a des maladies qui sont saines» : à propos de cette réplique, Ionesco apporte le commentaire suivant : «Bernard Dort dans son livre sur Brecht constate que les théories brechtiennes s'étendent aussi au cinéma. Ce brechtianisme est, dit-il, une épidémie mais qui est hygiénique. Ce jeune critique délirant parle exactement comme mon personnage Dudard qui à propos du rhinocérisme déclarait qu'il y a des maladies qui sont saines» (*Notes et contre-notes*, «Folio essais», p. 306). L'ouvrage de Dort auquel Ionesco se réfère s'intitule *Lecture de Brecht*, Le Seuil, 1960. Ionesco s'en était déjà pris à Dort, ainsi qu'à Barthes et à Jean-Jacques Gautier, qu'il satirisait dans *L'Impromptu de l'Alma.*

Page 226.

1. «Malheur à celui qui voit le vice partout» : la remarque de Dudard ressemble à celle de Jean, p. 188. Le débat qui l'oppose à Bérenger est celui de l'intellectuel face à l'intuitif, du théoricien face à l'homme de bon sens, sensible aux leçons de l'expérience.

Page 227.

1. «Philosophiquement et médicalement...» : Dudard a la manie de théoriser.

2. «Eppur' si muove» : référence à Galilée (1564-1642).
Parce qu'il soutenait les idées coperniciennes, il fut
condamné par l'Inquisition qui le fit abjurer. Il aurait
ensuite murmuré à propos de la terre : «*Eppur', si
muove!*», à savoir : «Et pourtant elle se meut!»

Page 272.

1. Le nazisme voua un véritable culte à l'énergie. Ce
n'est pas l'effet du hasard si Daisy dira plus loin · «Ce sont
des dieux» (p. 275).

Page 279.

1. L'esprit combatif de Bérenger n'apparaissait pas
dans le récit intitulé «Rhinocéros» qui s'achevait sur ces
phrases : «Hélas! jamais je ne deviendrai rhinocéros : je
ne pouvais plus changer.

» Je n'osais plus me regarder. J'avais honte. Et pourtant,
je ne pouvais pas, non, je ne pouvais pas.» (*La Photo du
colonel*, p. 128.)

Au contraire, la version allemande de la pièce avait
modifié le dernier mot pour que le message soit parfaitement clair : «Je ne capitule *jamais*!»

RÉSUMÉ

ACTE I

La pièce s'ouvre sur une scène d'extérieur qui plante le décor : une petite ville de province avec son épicerie, son église et sa terrasse de café, par un beau dimanche d'été. Scène d'extérieur mais aussi scène d'atmosphère drolatique qui présente des fantoches cocasses dont un Logicien ahurissant, ainsi que deux personnages essentiels, deux types d'hommes opposés — l'un nommé Jean, prototype de l'intolérance et du prêt-à-penser de l'époque fasciste, l'autre nommé Bérenger, être inoffensif en proie au malaise existentiel, montrant un faible pour la boisson, comme Eugène Ionesco lui-même auquel il ressemble. Jean ne cesse d'admonester Bérenger à travers un discours pontifiant émaillé de préceptes ayant trait à «l'homme supérieur» qui «remplit son devoir».

Soudain, le fantastique et l'absurde s'insinuent dans cet univers paisible, par le biais du Logicien qui métamorphose le réel et par l'irruption d'un rhinocéros — matérialisation concrète de l'intrusion de l'Histoire et de la violence fasciste — dans le monde civilisé.

ACTE II

Tableau I.

Changement de décor, le spectateur a sous les yeux un tableau vivant mettant en scène le personnel d'une entreprise juridique. Il découvre alors le monde du travail et des rapports hiérarchiques : Dudard, le sous-chef de service, Botard, le défenseur du syndicalisme et de la lutte des classes, Daisy, la jolie dactylo, M. Papillon, Mme Bœuf et Bérenger, le protagoniste. La conversation devient polémique et tourne autour de « l'évidence rhinocérique » ; en réalité, elle révèle les attitudes politiques et sociales des uns et des autres envers le totalitarisme.

Tableau II.

Scène d'intérieur : la chambre de Jean à qui Bérenger vient rendre visite. C'est le lieu de la métamorphose visible, Jean perdant petit à petit ses attributs humains et se transformant en rhinocéros : une corne lui pousse sur le front, sa peau verdit, sa voix devient rauque. Ce retour « à la Nature » est, en fait, une régression, un retour à la barbarie. Jean fonce d'ailleurs sur Bérenger qui fuit, alors qu'à l'extérieur défile un troupeau de rhinocéros.

ACTE III

Scène d'intérieur : la chambre de Bérenger. Tête bandée et inquiet, le protagoniste reçoit la visite de Dudard. S'engage alors un dialogue portant sur l'attitude observée devant la rhinocérite. En intellectuel, Dudard finasse, ergote, théorise. Survient Daisy, la petite amie de Bérenger, qui annonce la mutation de Botard et de M. Papillon. Devant la généralisation de la rhinocérite, Dudard rejoint, lui aussi, le troupeau avant que Daisy n'en fasse autant. Resté seul, Bérenger s'apprête à résister à la marée des rhinocéros. Dans un geste dérisoire mais qui a valeur d'exemple pour le spectateur, il saisit sa carabine et s'exclame : «Je ne capitule pas !»

DU MÊME AUTEUR

Dans la même collection

LA CANTATRICE CHAUVE. *Édition présentée et établie par Emmanuel Jacquart.*

LA LEÇON. *Édition présentée et établie par Emmanuel Jacquart.*

LES CHAISES. *Édition présentée et établie par Michel Lioure.*

LE ROI SE MEURT. *Édition présentée et établie par Gilles Ernst.*

VICTIMES DU DEVOIR. *Édition présentée et établie par Gilles Ernst.*

COLLECTION FOLIO THÉÂTRE

1. Pierre CORNEILLE : *Le Cid*. Édition présentée et établie par Jean Serroy.

2. Jules ROMAINS : *Knock*. Édition présentée et établie par Annie Angremy.

3. MOLIÈRE : *L'Avare*. Édition présentée et établie par Jacques Chupeau.

4. Eugène IONESCO : *La Cantatrice chauve*. Édition présentée et établie par Emmanuel Jacquart.

5. Nathalie SARRAUTE : *Le Silence*. Édition présentée et établie par Arnaud Rykner.

6. Albert CAMUS : *Caligula*. Édition présentée et établie par Pierre-Louis Rey.

7. Paul CLAUDEL : *L'Annonce faite à Marie*. Édition présentée et établie par Michel Autrand.

8. William SHAKESPEARE : *Le Roi Lear*. Édition de Gisèle Venet. Traduction nouvelle de Jean-Michel Déprats.

9. MARIVAUX : *Le Jeu de l'amour et du hasard*. Préface de Catherine Naugrette-Christophe. Édition de Jean-Paul Sermain.

10. Pierre CORNEILLE : *Cinna*. Édition présentée et établie par Georges Forestier.

11. Eugène IONESCO : *La Leçon*. Édition présentée et établie par Emmanuel Jacquart.

12. Alfred de MUSSET : *On ne badine pas avec l'amour*. Édition présentée et établie par Simon Jeune.

13. Jean RACINE : *Andromaque*. Préface de Raymond Picard. Édition de Jean-Pierre Collinet.

14. Jean COCTEAU : *Les Parents terribles*. Édition présentée et établie par Jean Touzot.

49. Luigi PIRANDELLO : *Henri IV*. Édition de Robert Abiraché. Traduction de Michel Arnaud.

50. Jean COCTEAU : *Bacchus*. Édition présentée et établie par Jean Touzot.

51. John FORD : *Dommage que ce soit une putain*. Édition de Gisèle Venet. Traduction nouvelle de Jean-Michel Déprats.

52. Albert CAMUS : *L'État de siège*. Édition présentée et établie par Pierre-Louis Rey.

53. Eugène IONESCO : *Rhinocéros*. Édition présentée et établie par Emmanuel Jacquart.

54. Jean RACINE : *Iphigénie*. Édition présentée et établie par Georges Forestier.

55. Jean GENET : *Les Bonnes*. Édition présentée et établie par Michel Corvin.

56. Jean RACINE : *Mithridate*. Édition présentée et établie par Georges Forestier.

57. Jean RACINE : *Athalie*. Édition présentée et établie par Georges Forestier.

58. Pierre CORNEILLE : *Suréna*. Édition présentée et établie par Jean-Pierre Chauveau.

59. William SHAKESPEARE : *Henry V*. Édition de Gisèle Venet. Traduction nouvelle de Jean-Michel Déprats. Édition bilingue.

60. Nathalie SARRAUTE : *Pour un oui ou pour un non*. Édition présentée et établie par Arnaud Rykner.

61. William SHAKESPEARE : *Antoine et Cléopâtre*. Préface et traduction nouvelle d'Yves Bonnefoy. Édition bilingue.

62. Roger VITRAC : *Victor ou les enfants au pouvoir*. Édition présentée et établie par Marie-Claude Hubert.

63. Nathalie SARRAUTE : *C'est beau*. Édition présentée et établie par Arnaud Rykner.

64. Pierre CORNEILLE : *Le Menteur. La Suite du Menteur*. Édition présentée et établie par Jean Serroy.

65. MARIVAUX : *La Double Inconstance*. Édition présentée et établie par Françoise Rubellin.

66. Nathalie SARRAUTE : *Elle est là*. Édition présentée et établie par Arnaud Rykner.

Composition Interligne.
Impression Bussière Camedan Imprimeries
à Saint-Amand (Cher), le 4 février 2002.
Dépôt légal : février 2002.
1ᵉʳ dépôt légal dans la collection : février 1999.
Numéro d'imprimeur : 020608/1.
ISBN 2-07-038920-0./Imprimé en France.